메타버스 제작기법

메타버스 제작기법

발 행 | 2024년 6월 17일
저 자 | 류 석원
펴낸이 | 한건희
펴낸곳 | 주식회사 부크크
출판사등록 | 2014.07.15.(제2014-16호)
주 소 | 서울특별시 금천구 가산디지털1로 119 SK트윈타워 A동 305호
전 화 | 1670-8316
이메일 | info@bookk.co.kr

ISBN | 979-11-410-8992-4

www.bookk.co.kr

메타버스 제작기법

류 석원 지음

CONTENT

머리말   5

Chapter 1. Basic Tools

Chapter 2. Texturing
1. Texture Assignment   24
2. Texture Adjustment I   27
3. Texture Adjustment II   33
4. Texture Assignment on Castle   36
5. Texture Assignment on Forklift Truck   44

Chapter 3. Shader Light Free - PlugIn
1. Shader Light Free PlugIn Download   50
2. Shader Light Rendering Tool   51
3. Shader Light Render Settings Tool   53
4. Shader Light Material Editor   54

Chapter 4. Modeling
1. Music Device   62
2. Model House Design   96

자신이 상상하는 가상현실과 메타버스 공간을 제작하는 과정은 마치 현실에서 실제로 건축물을 설계하고 시공하는 과정과 흡사하다. 특히, 상상력이 가미된 건축물을 가상공간 속에 나만의 방법으로 표현하는 것은 흥미로운 제작과정이라고 할 수 있다.

이 책에서는 자기만의 가상공간을 구성하는 model house design과 집안 내부를 구성하는 다양한 형태의 model들을 만드는 방법에 대해 설명한다.

이 책이 메타버스 공간에서 건축물을 만들고자 하는 모든 이에게 도움이 되기를 바란다.

柳 碩垣

Chapter 1. Basic Tools

사용할 수 있는 다양한 tool들의 특성에 대해 알아본다. 특히, 선을 그리는 Line Tool, 도형을 그리는 Rectangle/Circle/ Polygon Tool들, 변환에 관한 Move/Rotate/Scale Tool들, 입체에 관한 Push/Pull Tool 등 기본적인 tool 사용법에 대해 알아본다.

Tool Set에는 SketchUp에서 사용하는 다양한 tool들이 들어있다. Tool Set을 왼쪽에 나타나게 하려면 메뉴 View 〉 Toolbars 〉 Large Tool Set 을 선택한다.

Select Tool

Edge나 face를 선택한다. Edge나 face 위에서 한번 click하면 해당 edge나 face가 선택된다. Face 위에서 double click하면 해당 face 및 face와 연결된 edge들도 선택된다. Face 위에서 triple click하면 해당 face에 연결된 모든 face들과 edge들이 모두 선택된다.

Select Tool 사용에 관한 참고사항:

1) Drag 형태로 영역을 지정하는 경우에는 drag 방향에 따라 선택 결과가 달라진다. 왼쪽 방향으로 drag하는 경우에는 XOR box 영역에 닿기만 해도 선택되고, 오른쪽 방향으로 drag하는 경우에는 XOR box 영역 안에 완전히 속해야 선택된다.

2) Control key 누른 상태에서 Left Mouse Button으로 click하면, 무조건 선택되고, Shift + Control key 누른 상태에서 Left Mouse Button

으로 click하면, 무조건 취소된다. Shift key 누른 상태에서 Left Mouse Button으로 click하면 선택된 것은 취소되고 선택되지 않았던 것은 선택된다.

Make Component Tool

여러 개의 부분들로 구성된 object를 하나의 component로 정의한다. Component를 world space안에 추가하면 추가된 것들은 instance 형태로 추가되므로 original component를 수정하면 추가된 것들도 똑같이 수정된다. 여러 개의 부분들로 구성된 object를 component로 정의하려면, object를 구성하는 부분들을 선택 〉 Tool Bar에서 Make Component icon click 〉 Create Component window 나타난다 〉 Name = object의 name을 쓴다.

Components window를 보이려면, 메뉴 Window 〉 Components 선택 〉 Components window가 나타난다 〉 Select tab 선택 〉 그 아래에 있는 왼쪽 두 번째 삼각형 click 〉 In Model 선택하면 world space안에 있는 등록된 component들이 나타나고, Components 선택하면 Google SketchUp에서 제공하는 components들이 나타난다 〉 원하는 것을 선택해서 world space안에다 넣는다.

Google SketchUp에서 제공하는 교통에 관한 component들을 내 컴퓨터에 저장하려면 Internet이 연결되어 있는 상태에서 〉 Components window의 Select tab 선택한다 〉 그 아래에 있는 왼쪽 두 번째 삼각형 click 〉 Favorites 아래에 있는 Transportation 선택한다 〉 교통에 관한 component들이 나타난다 〉 Select tab 아래 맨 오른쪽에 있는 Details icon click 〉 Save as a local Collection 선택 〉 저장한다. 참고로, Favorites 아래에 있는 Playground와 Transportation 경우에는 바로 download가 되지만, 그 외의 것들은 sub folder 형태로 되어 있으므로 한 번 더 선택한 뒤에 저장해야 한다.

Component는 Move/Rotate/Scale만 된다. Component를 수정하려면 Component 선택 〉 component 위에서 Right Mouse Button click 〉 Edit Component 선택 〉 component 주위에 회색의 box 영역이 나타난 다 〉 원하는 대로 수정한다 〉 수정이 다 끝나면 회색의 box 영역 밖에서 Right Mouse Button click 〉 Close Component 선택한다. 참고로, 여 러 개의 부분들로 구성된 object를 group으로 정의하려면 object를 구성 하는 부분들을 선택 〉 메뉴 Edit 〉 Make Group 선택한다.

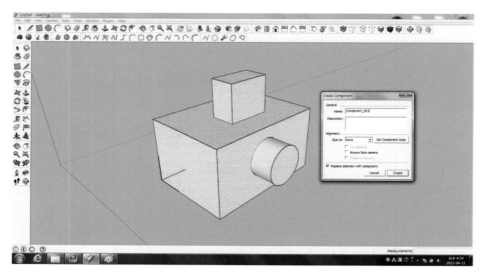

Figure 1.1 Create Component window

Paint Bucket Tool

Face에 material/simple texture를 입힌다. Paint Bucket Tool을 click 하면 Materials window가 나타난다 〉 Select tab 선택하고 그 아래에 있는 list에서 원하는 재질을 선택한다 〉 Face 위에서 click하면 선택한 material이 입혀진다.

Texture는 그대로 유지하면서 색상만 바꾸려면 Select tab 선택하고 그 아래에 있는 list에서 원하는 재질을 선택한다 〉 Face 위에서 click하면 선택한 material이 입혀진다 〉 Edit tab 선택 〉 색상 표에서 색을 바꾼다 〉 그러면 처음에 입혀진 material이 수정된 색으로 변한다. 특히, Edit tab에 있는 Opacity는 투명도를 지정하므로 유리창이나 내부가 보이는 효과를 만든다. 여러 face들에 같은 material을 입히려면 여러 face들을 먼저 선택한 뒤에 material을 입힌다.

이미 material이 입혀진 face 위에 새로운 material을 입히는 경우, Shift key를 누른 상태에서 Paint Bucket Tool을 사용하면 원래의 material을 가진 모든 face들에 새로운 material이 입혀진다. Control key를 누른 상태에서 Paint Bucket Tool을 사용하면 그 face가 속한 object 전체에 입혀진다. Shift key와 Control key를 동시에 누른 상태에서 Paint Bucket Tool을 사용하면 그 face가 속한 object 전체에서 그 face와 같은 material을 가진 face들에만 새로운 material이 입혀진다. Alt key를 누른 상태에서 Paint Bucket Tool을 사용하면 그 face에 입혀진 material을 찾아낼 수 있다.

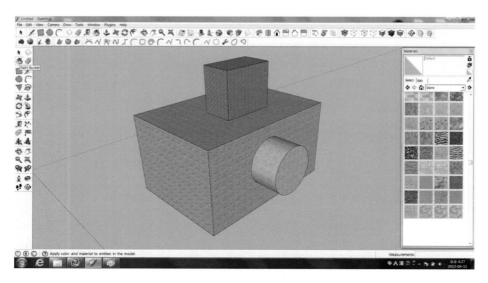

Figure 1.2 Three different materials using Paint Bucket Tool

Eraser Tool

Eraser Tool을 edge 위에서 click 하거나 click&drag하면 edge가 지워진다. Shift key를 누른 상태에서 edge를 click하면 edge가 지워지는 것이 아니라 단지 보이지 않도록 hide 시킨다. Control key를 누른 상태에서 edge를 click하면 edge가 지워지는 것이 아니라 단지 보이지 않도록 hide 시키면서 동시에 주변의 face들과의 연결을 부드럽게 해서 soften 효과를 만든다. 특히 곡면을 만들 때 사용한다. 이와는 반대로 soften 효과를 제거하려면 Shift key와 Control key를 동시에 누른 상태에서 soften 효과가 있는 face 위를 click&drag하면 원래대로 edge들이 나타나면서 곡면의 face가 각진 face들로 보이게 된다.

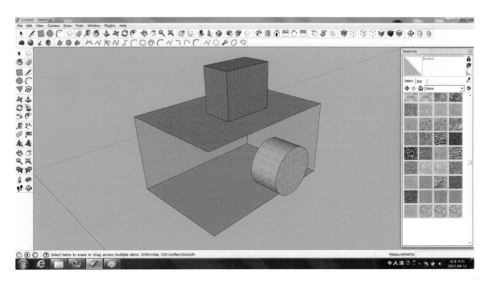

Figure 1.3 Eliminating target edge with two adjacent faces

Rectangle Tool

네모 형태의 2차원 면을 그린다. 그릴 때 주의 할 점은 다른 네모/원/다각형과 교차하지 않도록 한다. 특정 size를 지정하려면 먼저 Rectangle Tool로 사각형을 그린 뒤에 가로,세로 형식으로 입력한다. 예를 들어, 가로 3cm x 세로 4cm 크기의 사각형을 그리려면 3cm,4cm 쓰고 Enter key를 누른다.

Line Tool

Line을 그리는데 사용한다. Line Tool 사용에 관한 참고사항은 다음과 같다.

1) Line을 그릴 때는 가급적 XYZ 축에 평행하게 그린다.

2) Edge를 그려 face를 만들 때는 face를 구성하는 vertex들이 같은 평

면상에 있어야 한다.

3) 만들어진 face는 닫힌 면이어야 한다.

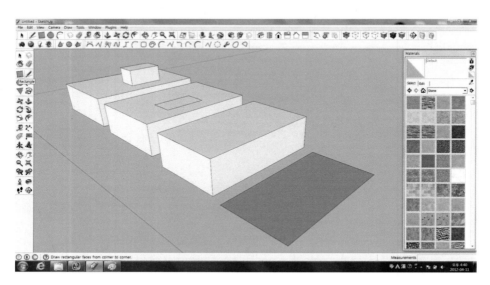

Figure 1.4 Rectangle Tool with Push/Pull Tool

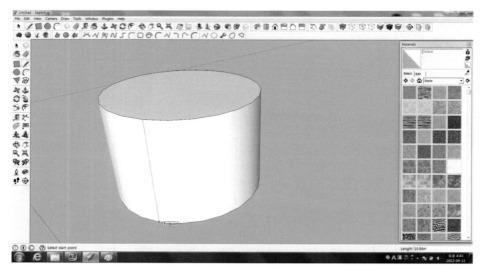

Figure 1.5 Line Tool to draw line on vertical face of cylinder

4) Line의 끝점은 녹색으로 표시되고, Line의 중심점은 엷은 파란색으로 표시되고, 다른 line의 중요한 점들과 같은 위치에 있는 점은 빨간색으로 표시된다.

5) Line을 그릴 때는 Line에서 Line으로 그린다. Line 위를 가로질러 건너가지 않도록 그린다.

6) Shift key를 누른 상태에서 이동하면 현재의 이동방향에 해당하는 축으로 이동방향이 고정된다. Right Arrow key를 누르면 X축, Left Arrow key를 누르면 Y축, Up/Down Arrow key를 누르면 Z축으로 이동방향이 고정된다.

Line을 같은 길이로 나누려면 Select Tool로 line을 선택 〉 Right Mouse Button click 〉 나타나는 menu에서 Divide 선택 〉 Line 위로 Mouse Cursor 이동하면 나누어지는 segment의 개수와 길이가 나타난다 〉 원하는 segment 개수에서 Left Mouse Button click한다. 참고로, Line Tool을 사용하여 선을 그리는 경우에, 주변에 있는 vertex나 edge를 reference point나 guide line으로 사용할 수 있다.

Circle Tool

원 형태의 2차원 면을 그린다. 특정 size를 지정하려면 Circle Tool을 사용하여 원을 그린 뒤에 반지름과 단위를 쓰고 Enter key를 누른다. Circle Tool로 만든 2차원 면은 Push/Pull Tool을 사용하여 입체적으로 뽑아 올려도 옆면은 부드럽게 연결된다.

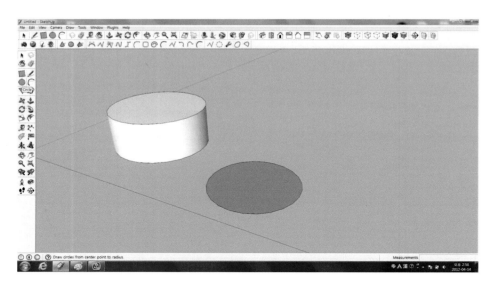

Figure 1.6 Circle Tool and Push/Pull Tool to make a cylinder

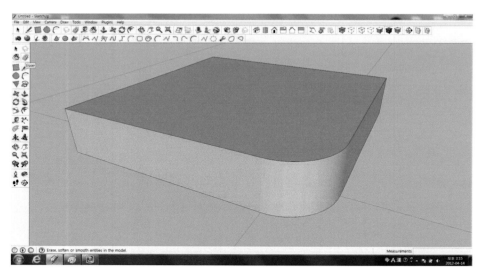

Figure 1.7 Arc Tool to make round face

Arc Tool

Arc 형태의 휘어진 호를 만든다. Left Mouse Button을 두 번 click해서 호를 이루는 line segment를 그린다. 그 다음에 Mouse Cursor를 이동하면 line segment가 arc 형태로 휘어진다. 원하는 위치에서 Left Mouse Button을 click한다.

Polygon Tool

다각형 형태의 2차원 면을 그린다. 기본적으로는 6각형 면을 만든다. 특정 size를 지정하려면 Polygon Tool을 사용하여 다각형을 그린 뒤에 반지름과 단위를 쓰고 Enter key를 누른다. Polygon Tool을 사용한 경우에는 옆면들 사이에 edge가 만들어져서 각지게 연결된다.

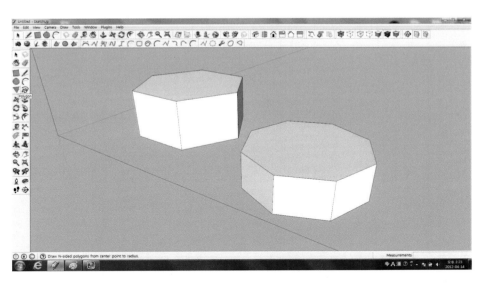

Figure 1.8 Polygon Tool to make hexagon and octagon

다른 각형을 지정하려면 먼저 Polygon Tool을 사용하여 6각형 다각형을 그린다 〉 원하는 각형숫자를 쓰고 그 뒤에 s를 붙이고 Enter key를 누른다. 예를 들어 8각형을 원하는 경우에는 8s 쓰고 Enter key를 누른다. 이 이후부터는 Polygon Tool을 사용하는 경우에는 8각형이 그려진다.

Move Tool

Vertex/Edge/Face를 이동한다. Move Tool을 사용할 때, Shift key를 누른 상태에서 이동하면 현재의 이동방향에 해당하는 축으로 이동방향이 고정된다. Right Arrow key를 누르면 X축, Left Arrow key를 누르면 Y축, Up/Down Arrow key를 누르면 Z축으로 이동방향이 고정된다. 참고로, face를 이동시킬 때, 다른 face와 만나면 이 두 face들은 자동으로 서로 붙어 버려 하나의 face로 된다.

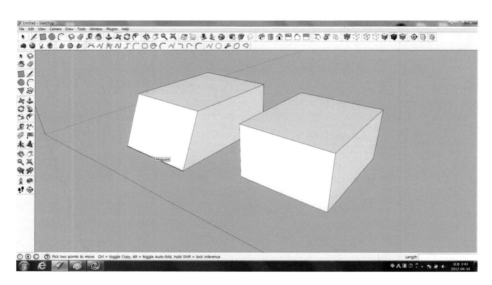

Figure 1.9 Move Tool to push forward the front bottom edge

Push/Pull Tool

Face를 3차원 입체로 뽑아내거나 안으로 집어넣는다. 특정 값의 높이나 깊이를 지정하려면 Push/Pull Tool을 사용하여 면을 뽑아내거나 집어넣은 뒤에 원하는 높이나 깊이를 입력하고 Enter key를 누른다. 예를 들어 높이나 깊이를 10cm로 하려면 10cm 치고 Enter key를 누르고, 2.3m로 하려면 2.3m 치고 Enter key를 누른다. 그러면, 입력한 크기만큼 밖으로 나오거나 안으로 들어간다.

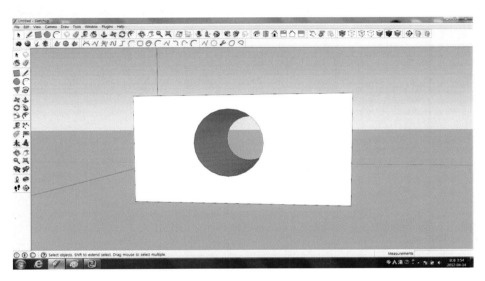

Figure 1.10 Push/Pull Tool to make a hole

옆에 있는 다른 object의 높이와 같은 높이로 하려면 Push/Pull Tool을 사용하여 면을 뽑아낸 뒤에 옆에 있는 다른 object의 윗면으로 Mouse Cursor를 이동하고 그 위에서 Mouse Button을 release한다. Push/Pull Tool을 사용하여 3차원 입체에 구멍을 만들 수 있다. 이 때, 구멍을 만드는 앞면과 뒷면은 서로 평행해야 한다.

같은 face에서 Push/Pull Tool을 반복 사용하면 합친 길이만큼 뽑아내거나 안으로 집어넣고 그 사이에는 segment가 생기지 않는다. Push/Pull Tool을 사용할 때마다 segment를 추가하려면 Control을 누르고 Push/Pull Tool을 사용한다.

Rotate Tool

Object를 회전시킨다. 회전하고자 하는 object 선택 〉 Rotate Tool 선택 〉 Left Mouse Button click 해서 Compass 중심 위치를 지정 〉 Compass 영역 밖에서 회전시키려는 object의 중심점 지정 〉 원하는 각도만큼 회전한 뒤에 Left Mouse Button click한다. 참고로, Compass의 orientation은 face의 normal에 따라 자동으로 변한다. Shift key를 누르면, Compass의 현재 orientation이 고정된다.

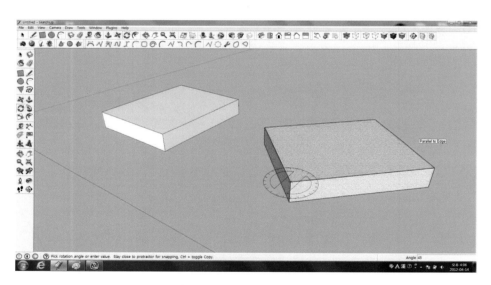

Figure 1.11 Rotate Tool to rotate the selected object

Follow Me Tool

지정된 line을 따라 연속된 object를 만든다. 생성하고자 하는 object의 단면을 만든다 〉 이 단면이 따라갈 line path를 그린다. 이 때, line의 시작점은 단면과 수직을 이루어야 한다 〉 Line path를 선택 〉 Follow Me Tool 선택 〉 object의 단면 선택한다.

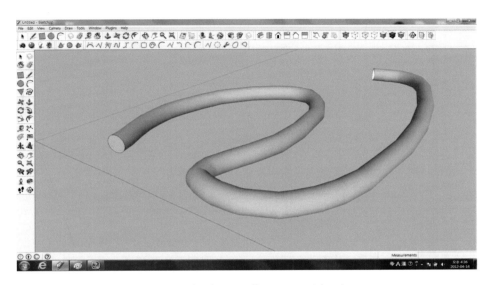

Figure 1.12 Pipeline made by Follow Me Tool

참고로, line path는 line이어도 되고, rectangle이나 polygon 형태의 face를 구성하는 edge들이어도 되고, circle 형태의 외형선이어도 된다. 또한, object의 단면은 line path의 시작점부터 끝점까지 만들어진다. 그러므로 object의 단면의 위치는 중요하지 않고, line path의 시작점과 끝점의 위치가 중요하다. Line path의 시작점과 끝점이 circle 형태의 외형 선처럼 서로 연결되어 있는 경우에는 생성되는 object가 둥근 형태의 모습을 가지게 된다.

Scale Tool

Object를 확대/축소시킨다. Scale Tool을 선택하면 object 주위에 노란색 box 영역이 생긴다. Box 영역에 있는 녹색 점들을 이동시키면 그 방향으로 확대/축소된다. 특정 비율을 지정하려면 숫자를 쓰고 Enter key를 누른다. 예를 들어 2.5배 확대하려면 2.5 쓰고 Enter key를 누른다.

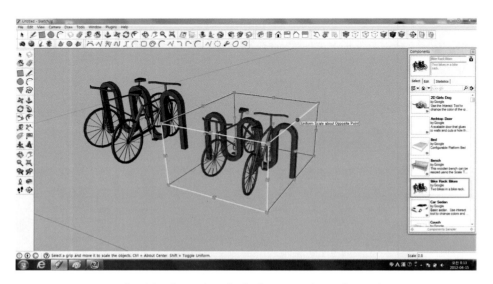

Figure 1.13 Scale Tool with Shift key and scale value = 0.8

Scale Tool 사용에 관한 참고사항:

1) Object에 따라 scale이 가능한 녹색 점들의 개수가 다를 수 있다.

2) Scale Tool은 선택한 녹색점을 이동시키면서 object를 확대/축소한다.

3) Control key를 누른 상태에서 녹색점을 이동시키면, object의 중심점을 기준으로 좌우, 상하, 또는 앞뒤로 scaling 된다.

4) Shift key를 누른 상태에서 녹색점을 이동시키면, 녹색 점의 위치에 상관없이 전체적으로 uniform scaling 된다.

5) Scale 값을 -1로 하면 mirror 효과를 만든다.

6) Push/Pull Tool과 함께 사용하면 Bevel 효과를 만들 수 있다.

Offset Tool

일정 거리를 띄면서 새로운 edge나 face를 만든다. 새로 만들 face나 두 개 이상의 edge를 선택 〉 Offset Tool 선택 〉 앞에서 선택한 face나 edge들 위에서 Left Mouse Button click한다.

Offset Tool 사용에 관한 참고사항:

1) Edge를 선택할 경우에는 두 개 이상이 되어야 한다.

2) 떨어질 거리를 지정하려면, Offset Tool을 사용하고 거리를 입력한다.

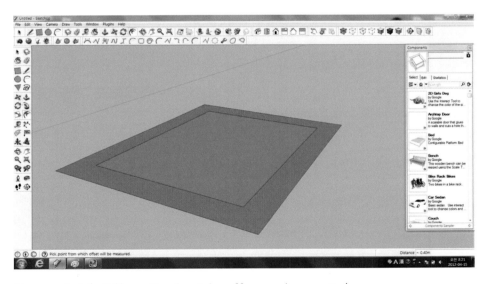

Figure 1.14 Offset Tool with offset value = 0.4

Tape Measure Tool

거리를 재는데 사용한다. 특정 거리만큼 떨어진 곳에 guide line을 그리려면 Tape Measure Tool을 사용하여 guide line을 그린 뒤에 원하는 거리 값과 단위를 쓰고 Enter key를 누른다. 참고로 거리 값만 쓰고 단위를 쓰지 않으면 기본적으로 meter가 사용된다.

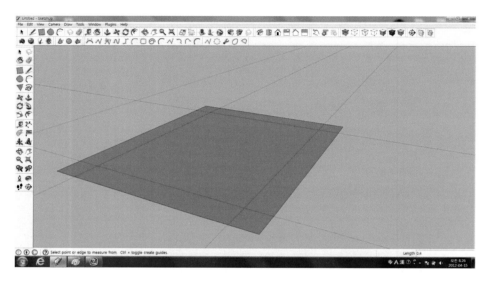

Figure 1.15 Tape Measure Tool with value = 0.4

Tape Measure Tool 사용에 관한 참고사항:

1) 메뉴 Window 〉 Model Info 선택 〉 Model Info window 나타난다 〉 왼쪽에서 Units 선택하고, Format = Decimal Centimeters로 하면, 십진수 센티미터 단위로 보인다, Enable Angle Snapping과 1.0 선택하면, Compass가 1도 단위로 회전한다.

2) Model Info window 〉 왼쪽에서 Dimensions 선택하고, Fonts button click 〉 Font window에서 글자체와 크기를 지정하고, Endpoints

옆의 list click 〉 화살표 머리의 형식을 선택할 수 있다.

Look Around Tool

2.6m 높이에서 주위를 둘러본다. 다른 높이에서 보려면 화면 오른쪽 아래에 있는 Eye Height에 입력한다. FOV (= Field of View)를 45도로 변경하려면 메뉴 Camera 〉 Field of View 〉 45 입력한다.

Walk Tool

Eye Height 높이에서 주변을 돌아다닌다. Left Mouse Button을 click한 상태에서 위로 올리면 앞으로 전진 하고, 아래로 내리면 뒤로 후퇴한다. Walk Tool은 기본적으로 collision을 감지한다. Collision 감지를 해제하려면 Alt key와 Left Mouse Button을 함께 사용한다. Control key와 Left Mouse Button을 함께 사용하면 이동 속도가 증가한다. Shift key와 Left Mouse Button을 함께 사용하면 Eye Height를 변경할 수 있다. Middle Mouse Button을 click하면 Look Around Tool로 바뀐다.

Section Plane Tool

Object의 단면을 보여준다. Section Plane의 orientation을 고정시키려면 Shift key를 누른다. 여러 개의 Section Plane들을 사용할 수는 있으나 그중에서 하나만 작동한다. 여러 개의 Section Plane들 중에서 특정 하나를 선택하려면 double click한다. Section Plane의 절단 방향을 바꾸려면 Right Mouse Button click 〉 Reverse 선택한다. Section Plane은 Eraser Tool로 지운다.

Chapter 2. Texturing

SketchUp을 사용하여 만든 object에 image texture를 입히면 object가 사실적으로 보이게 된다. 이번 chapter에서는 object에 texture를 입히는 Texture Assignment 방법, 입혀진 texture의 위치 수정과 Flip/Rotate 시키는 방법 등에 대해 알아본다.

1. Texture Assignment

SketchUp을 사용하여 만든 object에 image texture를 입히면 object가 사실적으로 보이게 된다. 이번에는 벽돌 건물의 외부 image들을 사용하여 사실에 가까운 건물을 만드는 방법에 대해 알아보자.

Step 1) Rectangle Tool과 Push/Pull Tool을 사용하여 5m x 10m x 5m 크기의 육면체를 만든다.

Step 2) 메뉴 File 〉 Import 선택 〉 오른쪽에 있는 Use as Texture 선택하고 Brick building의 front side에 입힐 front image를 선택한다.

Step 3) Step 1에서 만든 육면체 앞면의 왼쪽 아래 모서리를 click한다 〉 오른쪽 위 모서리로 이동해서 한 번 더 click한다 〉 그러면 image size가 커지면서 자동으로 앞면에 입혀진다.

Step 4) Step 2 & Step 3과 같은 방법으로 Brick building의 right side에 입힐 right image를 선택하고 입힌다.

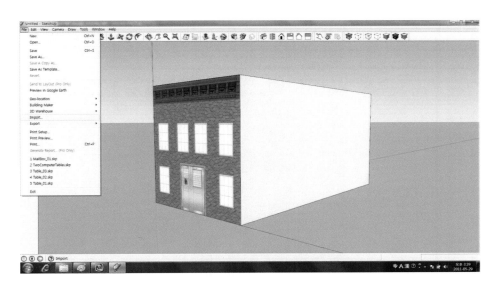

Figure 2.1 Front side of the Brick building

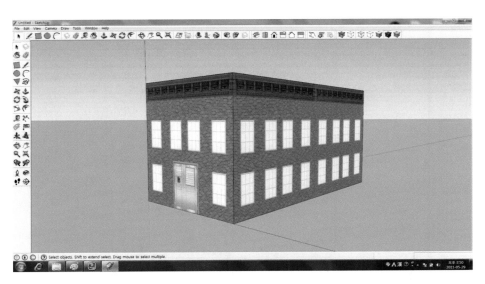

Figure 2.2 Right side of the Brick building

Step 5) 위와 같은 방법으로 Brick building의 나머지 부분들에 대해서
도 image texture들을 입힌다.

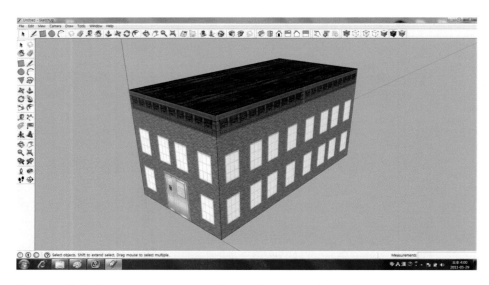

Figure 2.3 Perspective view from front-right side

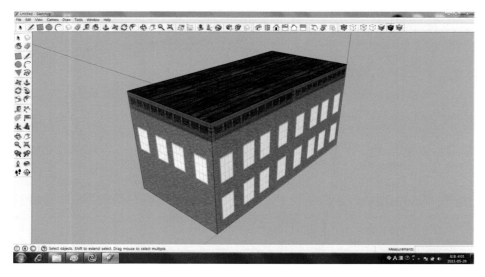

Figure 2.4 Perspective view from back-left side

2. Texture Adjustment I

앞에서 만든 Brick building의 front side를 가지고 object에 입힌 image texture의 위치를 수정하는 방법에 대해 알아보자.

Step 1) 메뉴 Camera 〉 Standard Views 〉 Front 선택 〉 Brick building의 front side를 바라본다.

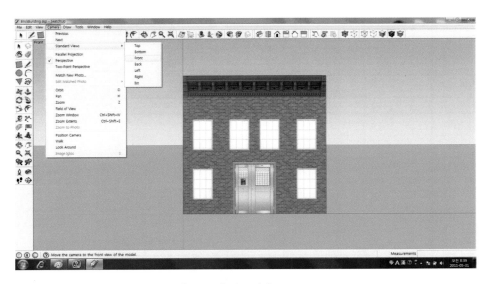

Figure 2.5 Front side of Brick building

Step 2) Select Tool을 선택 〉 Brick building의 front side click 〉 Right Mouse Button click 〉 Texture 〉 position 선택한다.

Step 3) Image texture를 수정하는 Adjustment mode에는 Move texture mode, Scale/Rotate texture mode, Scale/Shear texture mode, Distort texture mode 등 네 가지 mode가 있다.

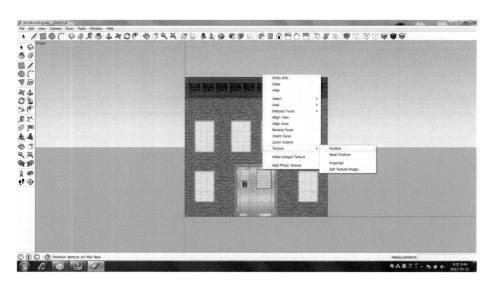

Figure 2.6 Position adjustment

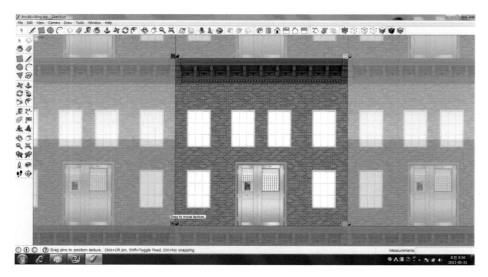

Figure 2.7 Four adjustment modes of image texture

Step 4) Image texture를 수정하는 Move texture mode는 왼쪽 아래

에 있다. 빨간색 네모 icon을 click하고 drag하면 image texture 전체가 이동한다 〉Select Tool을 선택하면 Adjustment mode를 빠져 나온다.

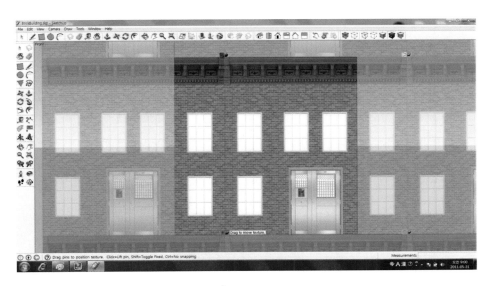

Figure 2.8 Move texture mode

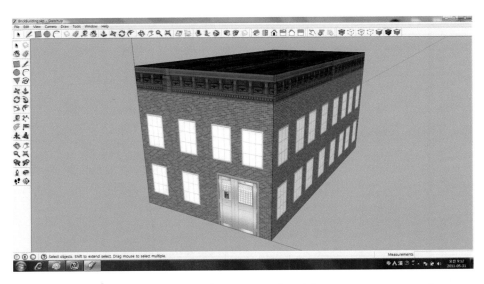

Figure 2.9 Image texture adjustment by Move texture mode

Step 5) Image texture를 수정하는 Scale/Rotate texture mode는 오른쪽 아래에 있는 녹색 네모 icon이다. 녹색 네모 icon을 click하고 drag하면 왼쪽 아래를 중심으로 image texture 전체가 회전하거나 크기가 변한다 〉 Select Tool을 선택하면 Adjustment mode를 빠져 나온다.

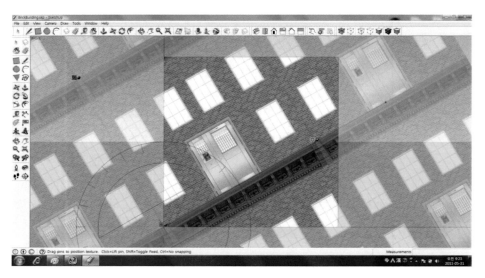

Figure 2.10 Scale/Rotate texture mode

Step 6) Image texture를 수정하는 Scale/Shear texture mode는 왼쪽 위에 있는 파란색 네모 icon이다. 파란색 네모 icon을 click하고 drag하면 왼쪽 아래를 중심으로 아래 부분은 그대로 유지하면서 image texture의 윗부분이 이동하면서 크기가 변한다 〉 Select Tool을 선택하면 Adjustment mode를 빠져 나온다.

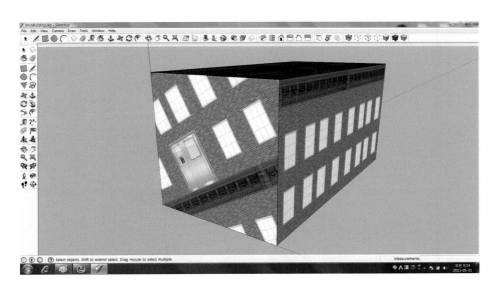

Figure 2.11 Image adjustment by Scale/Rotate texture mode

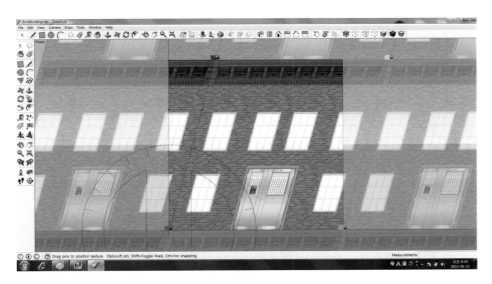

Figure 2.12 Scale/Shear texture mode

Step 7) Image texture를 수정하는 Distort texture mode는 오른쪽

위에 있다. 노란색 네모 icon을 click하고 drag하면 왼쪽 아래를 중심으로 image texture 전체가 비틀어진다.

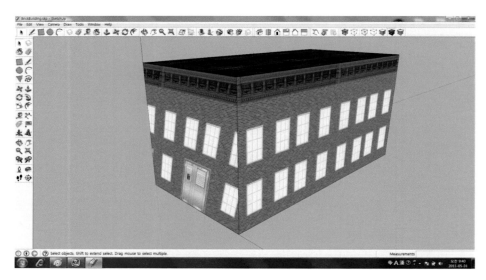

Figure 2.13 Image adjustment by Scale/Shear texture mode

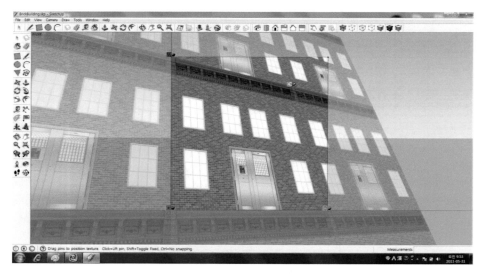

Figure 2.14 Distort texture mode

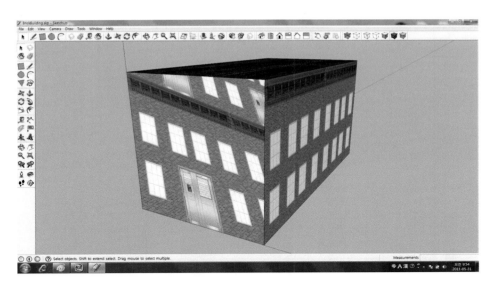

Figure 2.15　Image adjustment by Distort texture mode

3. Texture Adjustment II

Object에 입히는 image texture는 SketchUp에서 사용하기 전에 기본
적인 수정을 마친다. 이번에는 주어진 image texture를 Flip/Rotate 시키
는 방법에 대해 알아본다.

Step 1) Select Tool을 선택 〉 Brick building의 front side click 〉
Right Mouse Button click 〉 Texture 〉 position 선택한다 〉 다시 한
번 Right Mouse Button click 〉 Fixed Pins 선택해제 시킨다 〉 그러면,
위에서 설명했던 red/green/blue/yellow 네 개의 icon들이 사라진다.

Step 2) Image texture를 좌우로 뒤집으려면 Flip 〉 Left/Right 선택하고, 상하로 뒤집으려면 Flip 〉 Up/Down 선택한다.

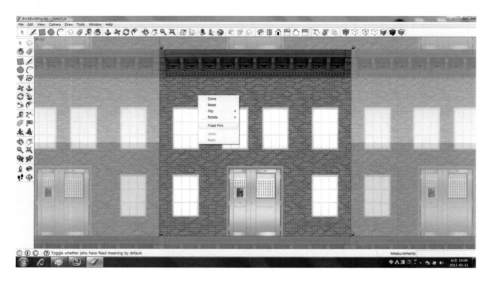

Figure 2.16 Resetting Fixed Pins option

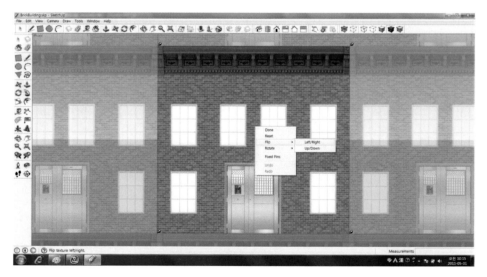

Figure 2.17 Left/Right Flipping

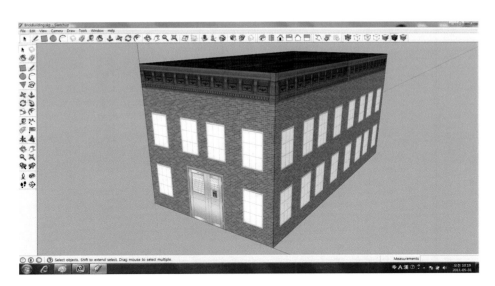

Figure 2.18 Image texture adjustment by Left/Right Flipping

Step 3) Image texture를 90도 회전하려면 Rotate 〉 90 선택한다.

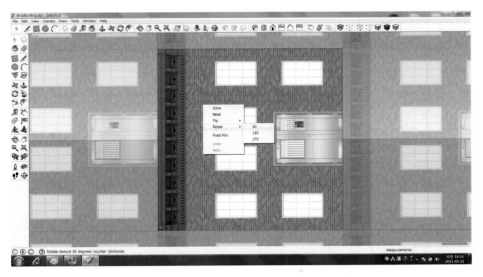

Figure 2.19 90 Degree Rotation

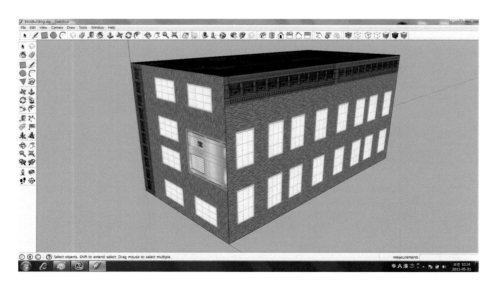

Figure 2.20 Image texture adjustment by 90 Degree Rotation

4. Texture Assignment on Castle

게임용 castle model에 image texture를 입히는 방법에 대해 알아보자.

Step 1) 앞에서 만든 castle model을 불러오고, 메뉴 Window 〉 Materials 선택해서 Materials window를 연다.

Step 2) Castle body part에 입힐 texture를 가져오기 위해서 메뉴 File 〉 Import 선택 〉 Brick-Wall image texture 가져온다 〉 Castle body 밑 부분에서 click 〉 Paint Bucket Tool로 바뀌면 castle body 윗부분까지 drag한 뒤에 click한다 〉 그러면, castle body part의 일부분에만 image texture가 입혀진다.

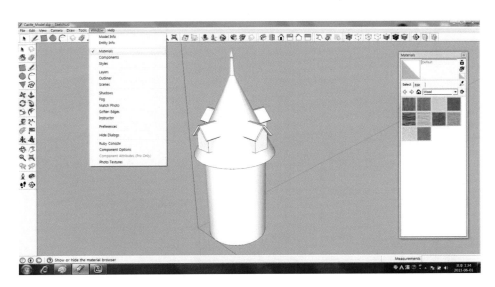

Figure 2.21 Castle model and Materials window

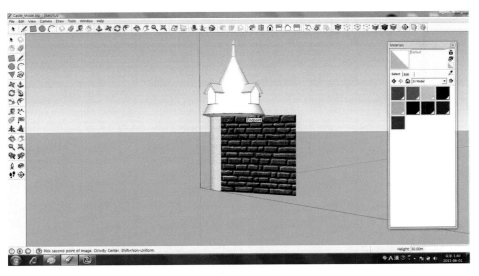

Figure 2.22 Brick-Wall image texture for body part

Object를 구성하는 hidden geometry를 보이려면 메뉴 View 〉 Hidden Geometry를 선택한다.

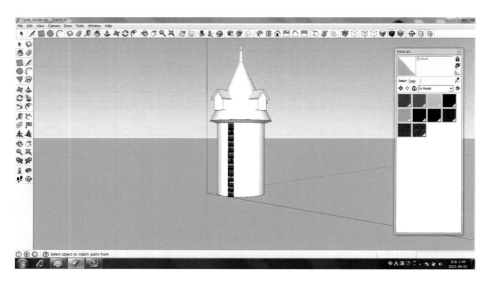

Figure 2.23 Brick-Wall image texture

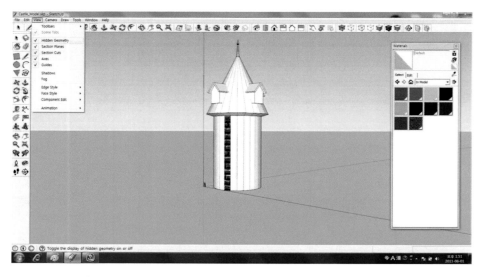

Figure 2.24 Hidden geometry of the body part

Step 3) Brick-Wall image texture를 선택 〉 Castle body part 위에서 click 〉 그러면, body part 전체에 image texture가 입혀진다.

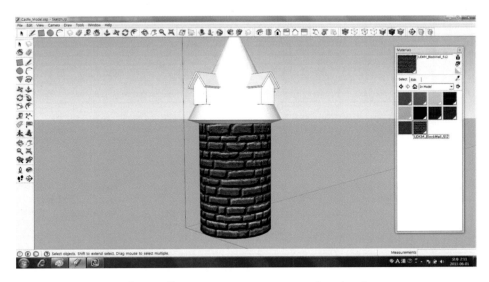

Figure 2.25 Brick-Wall image texture on the body part

Figure 2.26 Brick-Wall image texture on the border

Step 4) 위와 같은 방법으로, castle body part와 head part를 연결하는 border area에 image texture를 입힌다.

Step 5) 위와 같은 방법으로, castle head part와 피뢰침 부분에 image texture를 입힌다.

Figure 2.27 Roof image texture on the castle head part

Step 6) Guard room은 component 형식으로 등록되어 있다. 그러므로 먼저 component를 수정할 수 있는 Edit Component mode를 선택해야 한다. Edit Component mode를 선택하기 위해서 Component 선택 〉 Right Mouse Button click 〉 나타나는 sub menu에서 Edit Component 선택 〉 그러면, component 주변에 파란색 영역표시가 나타난다. 이제는 component를 수정할 수 있다.

참고로, Edit Component mode를 끝내려면, component 영역을 나타내는 파란색 box의 밖에서 Left Mouse Button을 click한다.

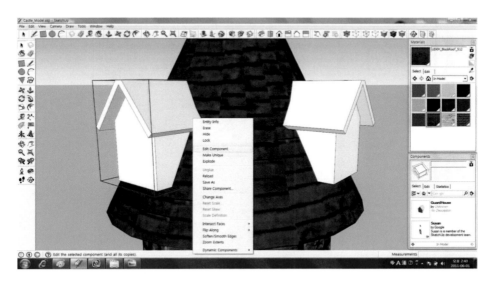

Figure 2.28 Component Editing

Step 7) 위와 같은 방법으로, guard room의 door 부분에 image texture를 입힌다. 참고로, guard room을 component 형식으로 등록한 이유는 castle modeling에서 guard room이 반복적으로 사용되기 때문이다. Guard room들을 각각 modeling하거나 group 형태로 등록하면 guard room이 반복되는 것만큼 file size가 증가하게 된다. 또 다른 이유는 component를 수정하면 복제된 것들은 자동으로 수정이 되는 장점이 있다. 예를 들어, 네 개의 guard room 중에서 하나의 guard room door에 door image texture를 입히고 나서 Edit Component mode를 빠져나오면, 나머지 세 개의 guard room들의 door들에도 door image texture가 자동으로 입혀진다.

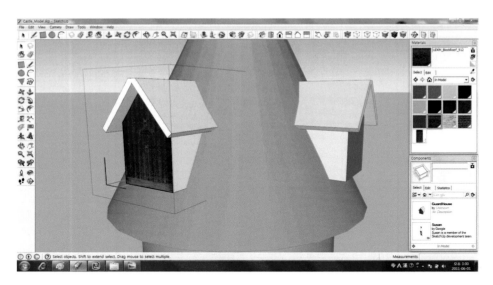

Figure 2.29 Door image texture on the door of guard room

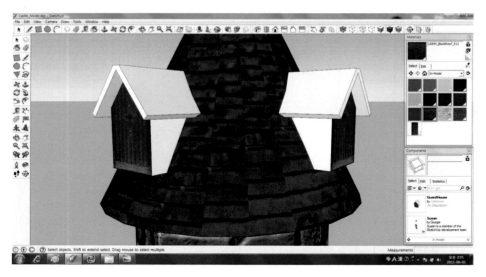

Figure 2.30 Door image textures on the doors of guard rooms

Step 8) 위와 같은 방법으로, guard room의 지붕과 옆 벽면에도 image texture를 입힌다.

Figure 2.31 Guard rooms

Figure 2.32 Castle with textures

5. Texture Assignment on Forklift Truck

게임용 Forklift truck에 image texture를 입히는 방법에 대해 알아보자.

Step 1) 앞에서 만든 Forklift truck model을 불러오고, 메뉴 Window > Materials 선택해서 Materials window를 연다.

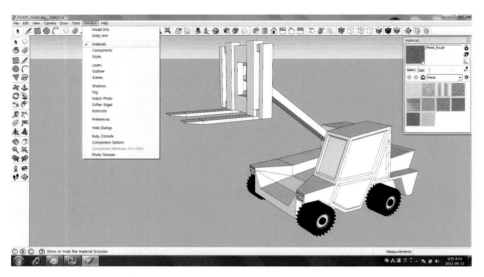

Figure 2.33 Materials window

Step 2) Forklift truck의 body part에 material을 입히기 위해서 Materials window > Select tab > dropdown list에서 Metal 선택 > Metal_Steel_Textured 선택 > Forklift truck의 왼쪽 앞부분에 칠한다.

파란색 계통의 Metal_Steel_Textured를 노란색으로 바꾸기 위해서 Edit tab 선택 > 밝은 노란색 선택 > 아래에 있는 Colorize를 선택한다 > 그러면 노란색 계통의 Metal_Steel_Textured material로 바뀐다.

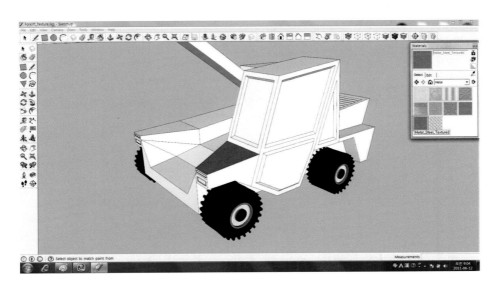

Figure 2.34 Dark blue colored material

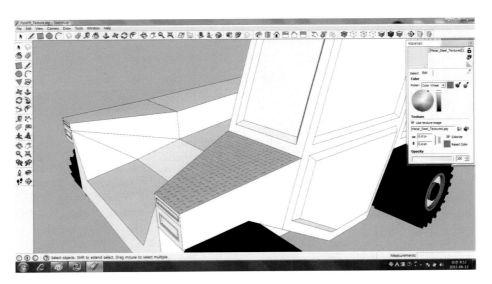

Figure 2.35 Light yellow colored material

Step 3) 새로 만든 material을 Forklift truck의 body part 전체에 적용한다.

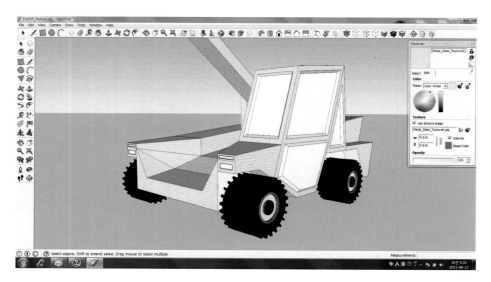

Figure 2.36 Light yellow colored material on body part

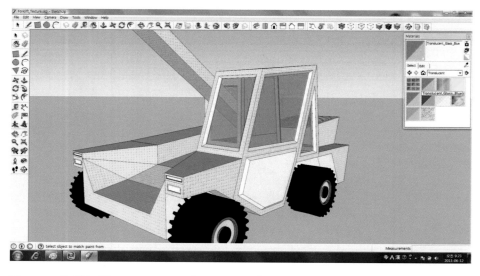

Figure 2.37 Glass material on windows

Step 4) 유리창에 투명한 material을 입히기 위해서 Materials window > Select tab > dropdown list에서 Translucent 선택 > Translucent_Glass_Blue 선택 > Forklift truck의 유리창들에 칠한다.

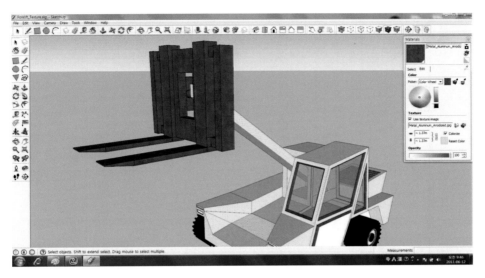

Figure 2.38 Materials on Forklift and window frames

Step 5) Forklift에 material을 입히기 위해서 Materials window > Select tab > dropdown list에서 Metal 선택 > Metal_Aluminum_Anodized 선택 > Forklift에 칠한다 > 어두운 색으로 바꾸기 위해서 Edit tab 선택 > 색상 표 옆에 있는 bar를 내려 어두운 색 선택 > 아래에 있는 Colorize를 선택한다 > Forklift 전체와 유리창 틀에 칠한다.

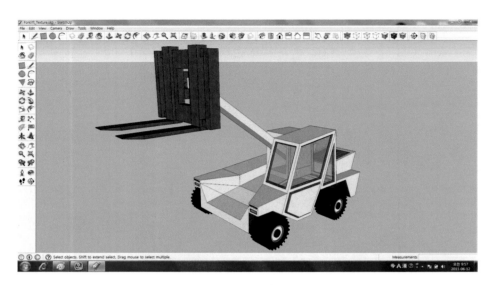

Figure 2.39 Perspective view from front-left

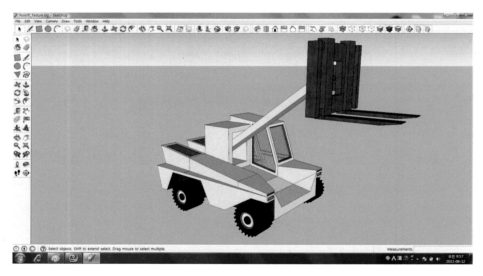

Figure 2.40 Perspective view from front-right

48 메타버스 제작기법

Step 6) 마지막으로, Forklift의 body 아래 부분과 head light 부분들에 material을 입힌다.

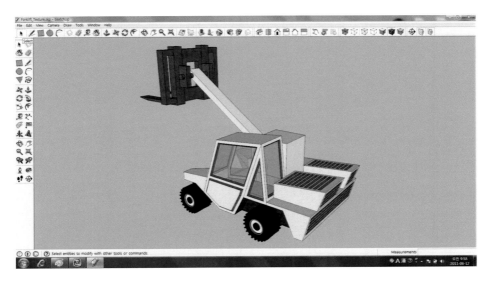

Figure 2.41 Perspective view from rear-left

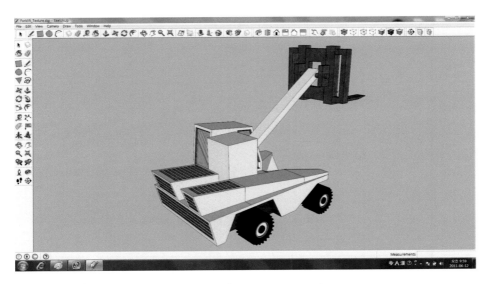

Figure 2.42 Perspective view from rear-right

Chapter 3. Shader Light Free - PlugIn

SketchUp의 기능을 향상시키기 위해 만들어진 보조 프로그램들 중에서 사실과 같은 고수준의 image rendering 효과를 만드는 Shader Light Free PlugIn에 대해 알아본다.

1. Shader Light Free PlugIn Download
Shader Light Free PlugIn을 download 하기 위해서 http://sketchup.google.com/intl/en/download/plugins.html 을 방문한다.

Step 1) http://sketchup.google.com/intl/en/download/plugins.html 을 방문한다.

Step 2) Photorealistic Rendering (Inside SketchUp) 영역 아래에 있는 ShaderLight의 오른쪽 LearnMore link를 click하면, Shader Light website로 연결이 된다.

Step 3) 화면 위에 있는 Download tab을 click하고, Shader Light Free group에서 PC를 click한다.

Step 4) 그러면, shaderlightforsketchup_131.msi file을 download 할 수 있다. 참고로, 이 프로그램은 free version이므로 무료이며, 프로그램 사용 시 요구되는 등록절차도 필요 없다. 다만, 기능상에 약간의 제한이 있을 뿐이다.

2. Shader Light Rendering Tool

Shader Light Free PlugIn을 실행하면, SketchUp에 Shader Light Tool Box가 추가된다. 이 Tool Box는 Rendering Tool, Material Editor, Light Placement Tool, Render Settings 등 네 개의 tool들로 구성되어 있다.

Shader Light Rendering Tool icon을 click하면, 새로운 window가 타나나면서, SketchUp 화면이 rendering 된다. 기본적인 window 크기는 640 x 480 이며, 이 크기는 나중에 Render Settings window에서 수정이 가능하다.

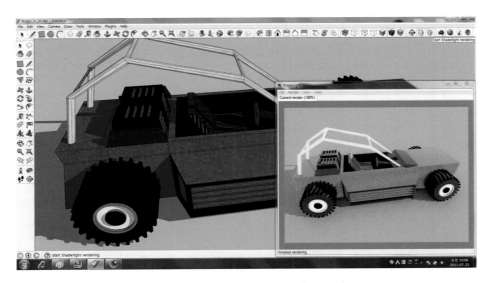

Figure 3.1 Shader Light Rendering in 640 x 480 size

참고로, rendering 한 결과 image를 다른 file로 저장하려면, Shader Light Rendering window의 메뉴 File 〉 Save As를 선택한다. 그리고,

Rendering window를 계속 보이게 하려면, Shader Light Rendering window의 메뉴 View > Always on top을 선택한다.

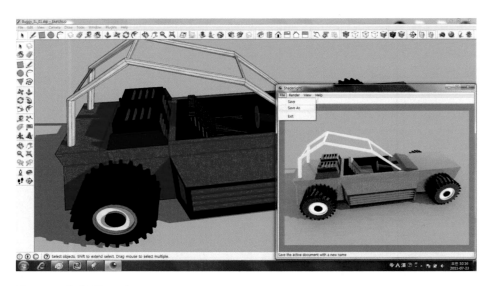

Figure 3.2 Rendering image save

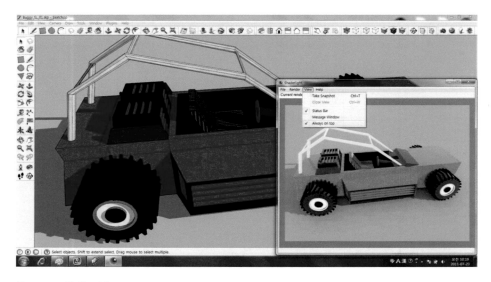

Figure 3.3 Always on top option

3. Shader Light Render Settings Tool

Shader Light Render Settings tool은 rendering을 할 때, rendering image size와 quality를 지정한다.

Rendering image size는 기본적으로 640 x 480 크기이며, 더 작은 크기인 320 x 240으로 하려면, Shader Light Render Settings window에서 Output Resolution 〉 Preset = 320 x 240을 선택한다.

Rendering quality는 기본적으로 50%이며 100%까지 올릴 수 있다. Rendering quality 100%는 50%에 비해 더 좋은 결과 image를 만들지만 시간이 더 소요된다는 단점이 있다.

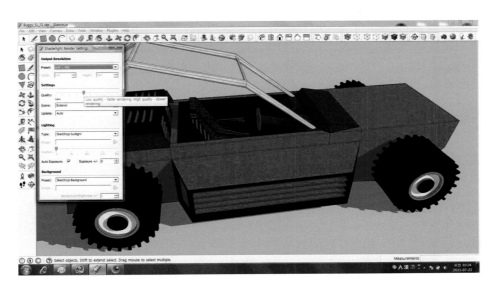

Figure 3.4 Shader Light Render Settings

4. Shader Light Material Editor

Step 1) Material Editor는 SketchUp에서 만든 model이 사실적으로 보이기 위해서 model에 입혀진 기본적인 material을 수정한다.

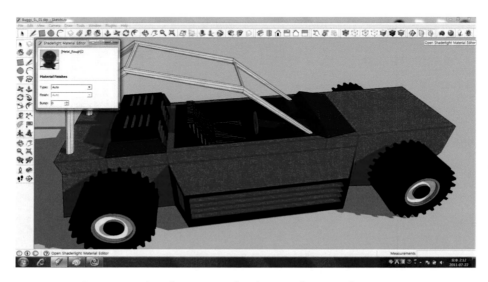

Figure 3.5 Material Editor in Shader Light Tool Box

Step 2) Material Editor에 있는 Eyedropper tool (= Sample Paint)를 사용하여 Buggy 몸체에 입혀진 material을 선택한다. 그러면, 자동으로 Shader Light Material Editor에도 나타난다.

Step 3) Shader Light Material Editor에서 제공하는 9개의 type들은 다음과 같다.

Auto: SketchUp에서 제공하는 material에 대한 기본적인 material type

Matt: 반사효과가 없는 일정한 색상의 material type

Satin: 강한 빛의 반사효과는 보이지만 주변 물체들의 반사효과는 나타나지 않는 material type

Shiny: 강한 빛의 반사효과도 보이고 주변 물체들의 반사효과도 보이는 material type

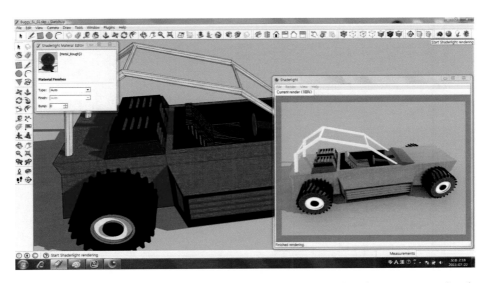

Figure 3.6 Result before Shader Light Material Editor is applied

Glossy: 보다 사실적이면서 약간 흐리게 보이도록 하는 material type

Metal: 금속성을 보이는 material type

Transparent: 액체나 유리 재질을 나타내는 material type

Translucent: Transparent와 비슷하게 빛을 통과시키지만 Transparent type 보다는 반사나 투과정도가 적은 material type

Self Illuminating: 태양처럼 스스로 빛을 내는 material type.

참고로, 각각의 material type은 다양한 변형들을 보여주는 sub type들을 Finish dropdown list에 가지고 있다.

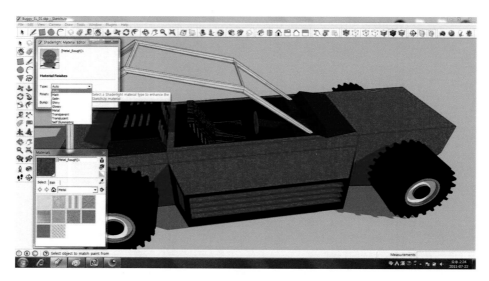

Figure 3.7 Material in Shader Light Material Editor

Step 4) Shader Light Material Editor에서 Buggy body part에 적합한 material을 선택한다.

참고로, Metal with Polished_3 type과 Metal with Chrome type은 같은 Metal 형태의 sub type들 이므로 반사효과는 거의 비슷하다. 그러나 Metal with Polished_3 type 보다는 Metal with Chrome type의 반사효과가 더 강하고 선명하다. 특히, Buggy body part에 비친 tire를 비교하면 두 material type의 차이를 쉽게 알 수 있다.

이와는 반대로, 강한 빛의 반사효과는 보이지만 주변 물체들의 반사효과

는 나타나지 않는 Satin material type은 Metal material type에 비해
반사 효과가 거의 보이지 않는다.

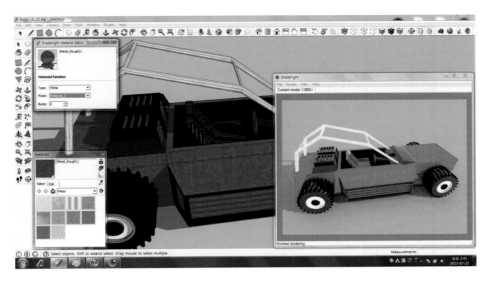

Figure 3.8 Metal with Polished_3 type Material on Buggy body

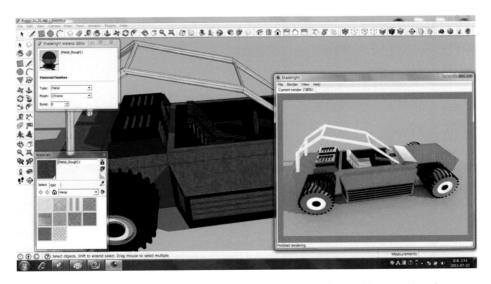

Figure 3.9 Metal with Chrome type Material on Buggy body

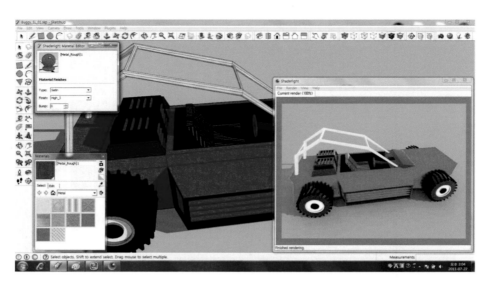

Figure 3.10 Satin with High_3 type Material on Buggy body

Step 5) SketchUp Material Editor에 있는 Eyedropper tool을 사용하여 Buggy Tire에 입혀진 material을 click하고, tire가 튼튼하고 강하게 보이도록 하기 위해서 Shader Light Material Editor에서 Matt with Chalky type을 선택한다.

Step 6) SketchUp Material Editor에 있는 Eyedropper tool을 사용하여 Safety Bar에 입혀진 material을 click하고, Shader Light Material Editor에서 Metal with Polished_3 type과 Metal with Chrome type을 선택한다.

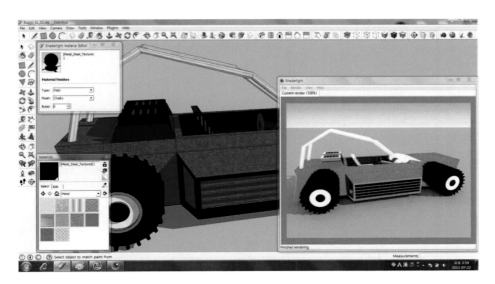

Figure 3.11 Matt with Chalky type Material on Tire

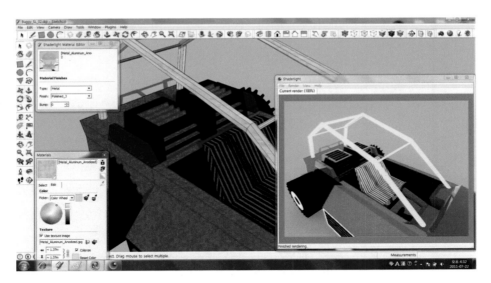

Figure 3.12 Metal with Polished_3 type Material on Safety Bar

Step 7) Shader Light Render Settings window를 열고, Settings 아래에 있는 Quality = 100을 선택하여 Rendering을 한다.

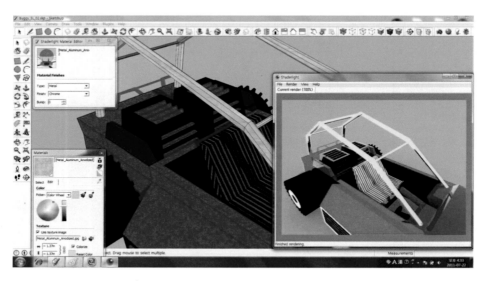

Figure 3.13 Metal with Chrome type Material on Safety Bar

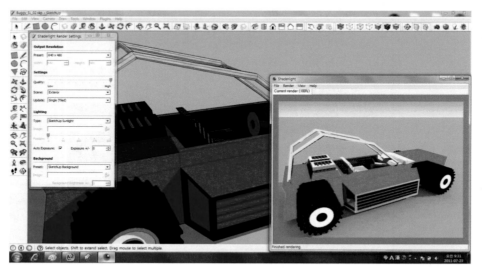

Figure 3.14 Rendering result with image quality = 100%

Figure 3.15 Final rendering image

Chapter 4. Modeling

이번 chapter에서는 다양한 형태의 소품들을 사용하여 집안 내부와 외부를 design하고 modeling하는 방법에 대해 알아본다.

1. Music Device

집안 내부를 구성하는 소품을 만들기 위해서, 음악을 듣는데 사용하는 music device를 modeling하는 과정에 대해 알아보자.

Step 1) Music device의 몸체를 만들기 위해서 Rectangle Tool 선택 〉 넓이 37 x 깊이 22 크기의 사각형을 만든다 〉 Push/Pull Tool 선택 〉 높이 8.5 크기만큼 위로 올린다.

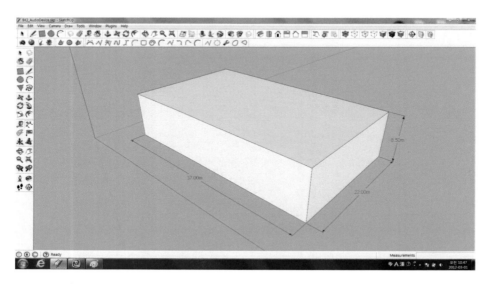

Figure 4.1 Basic body part of music device

Step 2) Music device의 앞면을 만들기 위해서 Tape Measure Tool 선택 〉 왼쪽 면에서 10 만큼 거리를 두고 가상선을 그린다 〉 다시 오른쪽 면에서 10 만큼 거리를 두고 가상선을 그린다 〉 Line Tool 선택 〉 윗면과 앞면, 옆면에 수평선과 수직선을 그려 music device 몸체를 세 부분으로 나눈다.

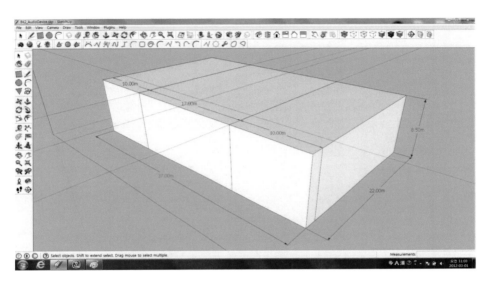

Figure 4.2 Three parts of main body

Step 3) Music device의 앞면을 각지게 만들기 위해서 Move Tool 선택 〉 왼쪽 맨 앞에 있는 수직 edge를 선택 〉 뒤로 이동시켜 뒤에 있는 수직 edge와 하나가 되도록 붙인다 〉 같은 방법으로 오른쪽 맨 앞에 있는 수직 edge도 뒤에 있는 수직 edge와 붙인다.

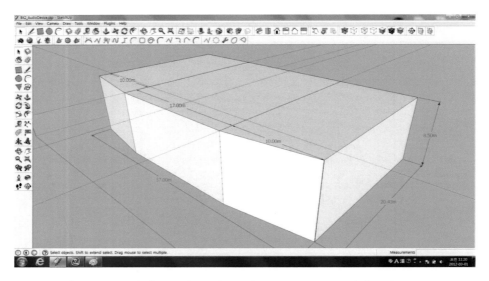

Figure 4.3 Front left and right edges are moved back

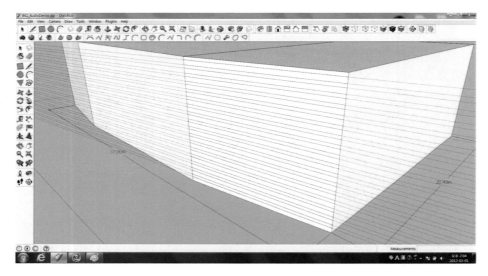

Figure 4.4 Guide lines for speaker part on front right face

64 메타버스 제작기법

Step 4) 앞부분 오른쪽 면에 Speaker 부분을 만들기 위해서 Tape Measure Tool 선택 〉 0.2와 0.3 간격을 반복하면서 위로부터 가상선들을 그린다 〉 Line Tool 선택 〉 수평으로 선들을 그린다.

Step 5) Push/Pull Tool 선택 〉 0.2 간격에 해당하는 면들을 선택 〉 0.3 크기만큼 앞으로 이동시켜 speaker 부분을 완성한다 〉 같은 방법으로 앞부분 왼쪽 면에도 Speaker 부분을 완성한다.

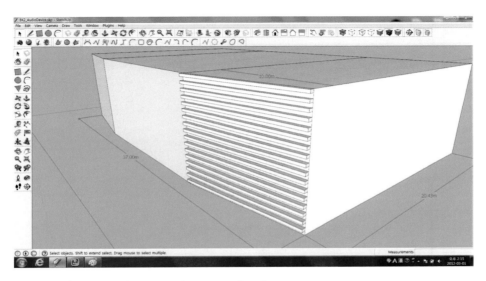

Figure 4.5 Speaker on front right face

Step 6) 앞부분 중앙 면을 만들기 위해서 Tape Measure Tool 선택 〉 0.2와 0.3 간격을 반복하면서 위와 아랫부분에 가상선들을 그린다 〉 Line Tool 선택 〉 수평으로 선들을 그린다 〉 Push/Pull Tool 선택 〉 0.2 간격에 해당하는 면들을 선택 〉 0.3 크기만큼 앞으로 이동시킨다.

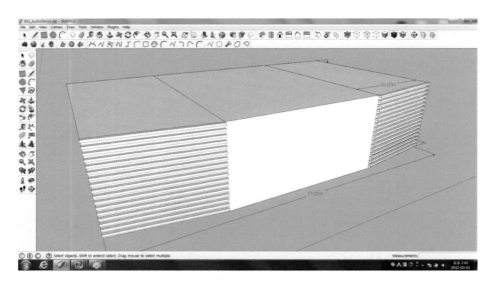

Figure 4.6 Speaker on front left face

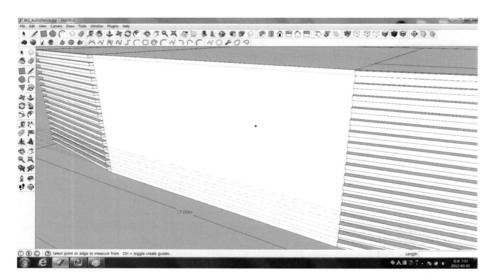

Figure 4.7 Guide lines for front middle face

Step 7) 앞부분 중앙 면에 새로 만든 사각형들과 앞부분 왼쪽 면과 오른쪽 면 사이에는 작은 틈새들이 있다.

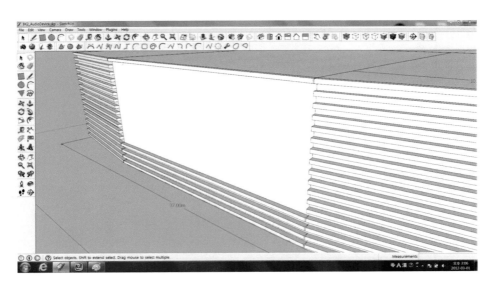

Figure 4.8 Front middle face

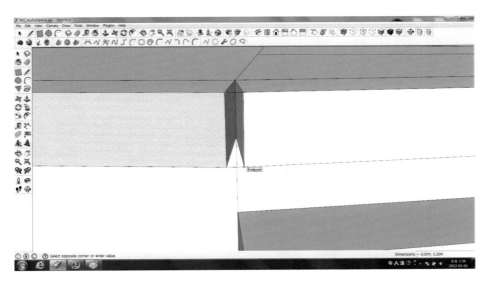

Figure 4.9 Rectangle tool on two vertices

Rectangle Tool 선택 〉 앞부분 사각형의 오른쪽 위에 있는 vertex 선택하고 위로 이동 〉 새로운 face가 생기면서 틈새가 제거된다.

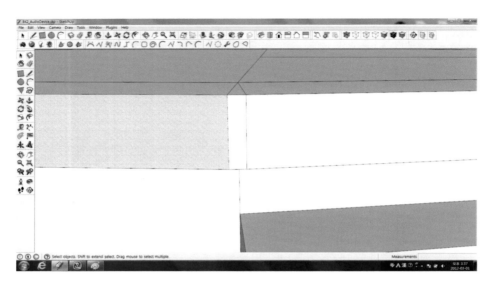

Figure 4.10 Gap is filled with new face

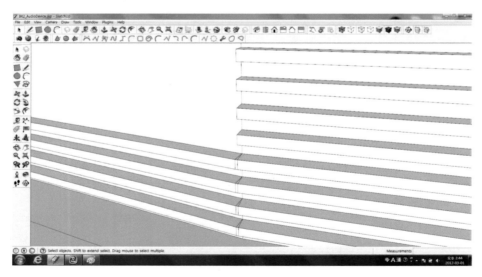

Figure 4.11 Adjusted speaker part on front face

Step 8) 앞부분 중앙 면에 계기판과 CD 입구를 만들기 위해서 Offset Tool 선택 〉 0.3 크기만큼 간격이 생기도록 이동한다 〉 Tape Measure Tool 선택 〉 위로부터 3.6 거리를 두고 가상선을 만든다 〉 그 아래로 0.1 거리를 두고 가상선을 하나 더 만든다 〉 Line Tool 선택 〉 두 개의 수평선을 그린다.

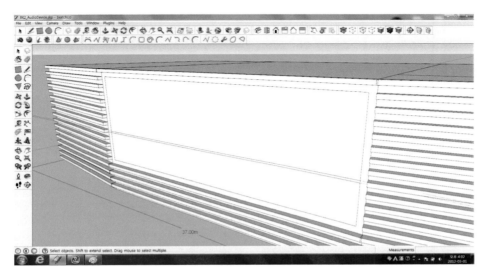

Figure 4.12 Guide lines on front face

Step 9) 앞부분 중앙 면에 계기판과 CD 입구가 앞으로 나오도록 하기 위해서 Push/Pull Too 선택 〉 Control key를 누른 상태에서 위의 사각형 영역 선택 〉 앞으로 이동한다 〉 0.3 입력하고 enter key 누른다 〉 그러면, 0.3 크기만큼 앞으로 나온다 〉 같은 방법으로 아래에 있는 사각형도 선택하고 앞으로 나오도록 만든다.

Step 10) 이전 단계에서 새로 만든 두 개의 사각형의 옆면을 보면 불필

요한 edge들이 있다. Eraser Tool을 사용하여 왼쪽과 오른쪽 면들에 있는
edge들을 모두 다 제거한다.

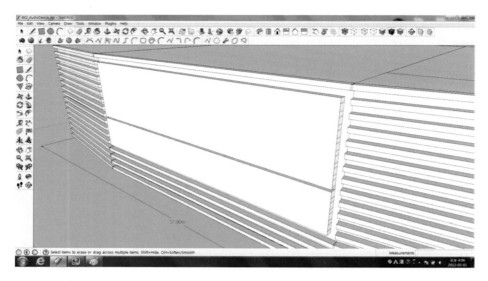

Figure 4.13 Two faces have been popped out

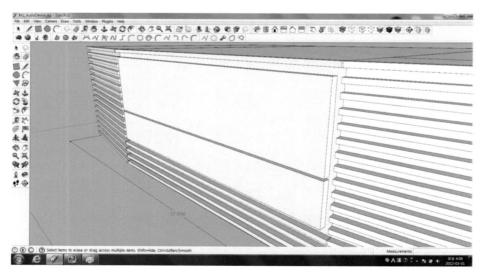

Figure 4.14 Edges on left and right side have been eliminated

Step 11) 앞부분 중앙 면에 CD가 들어갈 면을 만들기 위해서 Tape Measure Tool 선택 〉 상하좌우로부터 0.2 크기의 간격을 두고 가상선들을 그린다 〉 Line Tool 선택 〉 CD가 들어갈 면을 위해 가로 16 x 세로 0.8 크기의 사각형을 그린다.

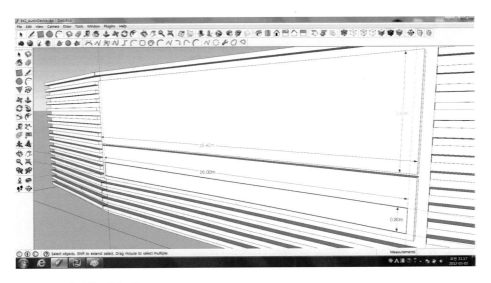

Figure 4.15 CD face

Step 12) CD가 들어갈 입구를 만들기 위해서 Tape Measure Tool 선택 〉 좌우로 1.5 크기의 간격을 두고 가상선들을 그리고, 위로부터 0.4 크기의 간격을 두고 가상선을 그린다 〉 Line Tool 선택 〉 CD가 들어갈 가로 13 x 세로 0.4 크기의 입구를 그린다 〉 Push/Pull Tool 선택 〉 0.2 크기만큼 안쪽으로 이동시킨다.

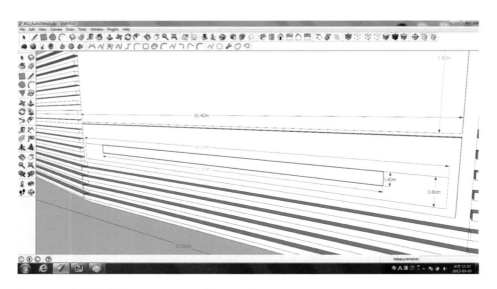

Figure 4.16 CD entrance design I

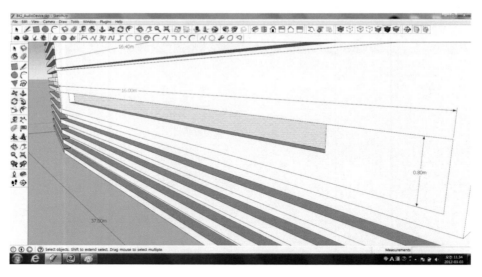

Figure 4.17 CD entrance design II

Step 13) Music device의 옆면을 뒤로 갈수록 좁아지게 만들기 위해서

Tape Measure Tool 선택 > 6.5, 24, 6.5 크기가 되도록 뒷면에 가상선들 그린다 > Line Tool 선택 > Music device 뒷면에 수직선들을 그린다.

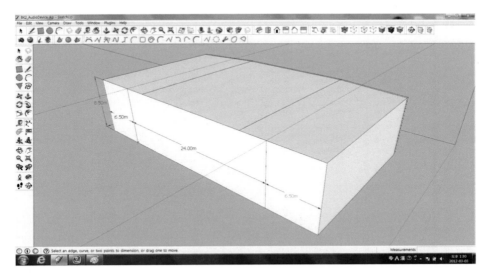

Figure 4.18 Guide lines and vertical lines on backside

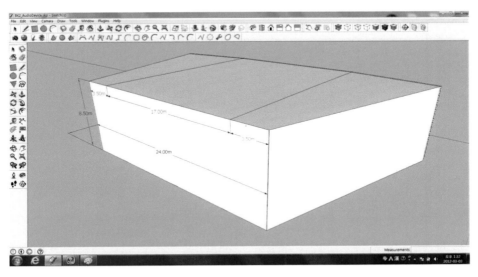

Figure 4.19 Adjusted backside of music device

Step 14) Music device의 뒷면이 앞면보다 좁게 만들기 위해서 Move Tool 선택 〉 뒷면 왼쪽과 오른쪽 가장자리에 있는 두 edge를 안쪽으로 이동시켜 이전 단계에서 그린 수직선들과 붙인다.

Step 15) Music device의 뒷면이 둥글게 보이도록 만들기 위해서 Line Tool 선택 〉 두 개의 수직선들을 그린다 〉 Push/Pull Tool 선택 〉 뒷면 중앙에 있는 면을 선택 〉 Alt key를 누른 상태에서 뒤로 1.25 크기만큼 이동시킨다 〉 그러면, music device의 뒷면이 둥글게 만들어진다.

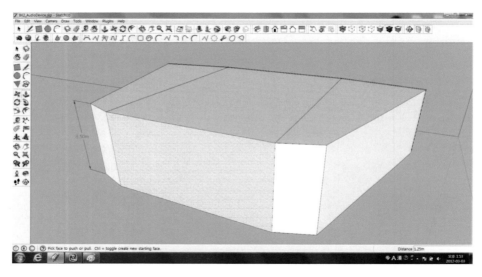

Figure 4.20 Rounded shape of the backside of music device

Step 16) Music device의 윗면의 뒷부분이 아래로 내려가게 만들기 위해서 Tape Measure Tool 선택 〉 Music device의 윗면의 뒷부분에 가상 선들을 그린다 〉 Line Tool 선택 〉 새로운 선들을 그린다 〉 Push/Pull Tool 선택 〉 뒤에 있는 새로 만들어진 세 면을 아래로 1.5 크기만큼 아래로 내린다.

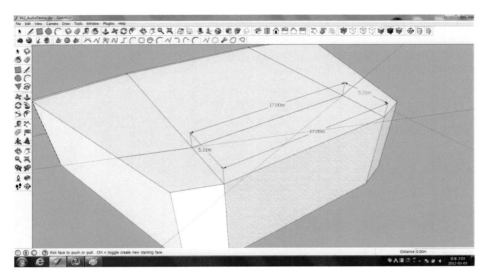

Figure 4.21 Rounded shape of the backside of music device

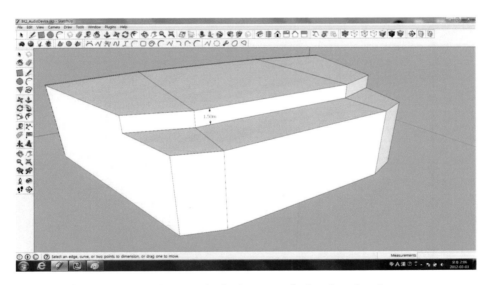

Figure 4.22 Adjusted rounded shape of the backside

Step 17) Speaker를 만들기 위해서 Tape Measure Tool 선택 〉 0.3과 0.5 크기를 반복하면서 가상선들을 그린다.

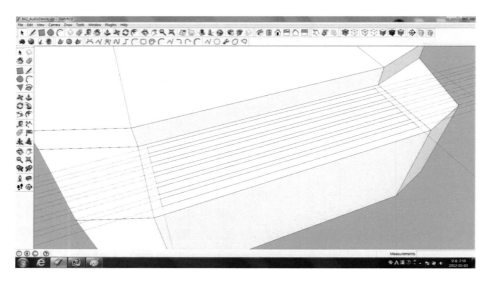

Figure 4.23 Guide lines for speaker on backside

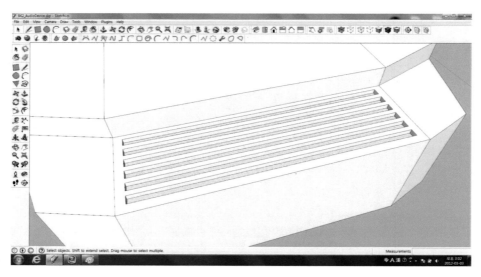

Figure 4.24 Speaker on backside of music device

Line Tool 선택 〉 0.5 크기를 중심으로 사각형들을 그린다 〉 Push/Pull Tool 선택 〉 0.5 크기에 해당하는 사각형들을 0.3 크기만큼 아래로 이동시켜 speaker를 만든다.

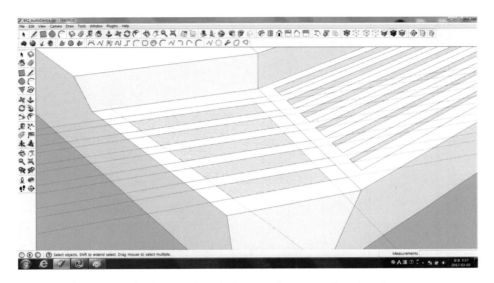

Figure 4.25 Guide lines for left speaker on backside

Step 18) Music device의 뒤쪽 왼쪽 면 위에 speaker를 만들기 위해서 Tape Measure Tool 선택 〉 0.3과 0.5 크기를 반복하면서 가상선들을 그린다 〉 좌우로 0.5 크기의 가상선 두 개를 더 그린다 〉 Line Tool 선택 〉 0.5 크기를 중심으로 사각형들을 그린다 〉 Push/Pull Tool 선택 〉 0.5 크기에 해당하는 사각형들을 0.3 크기만큼 아래로 이동시켜 speaker를 만든다.

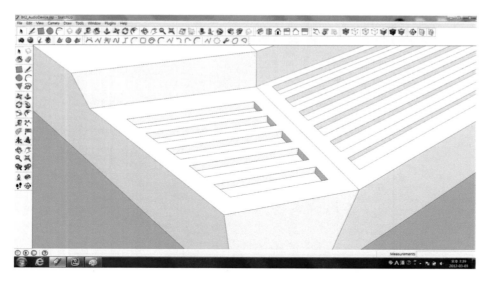

Figure 4.26 Left speaker on backside of music device

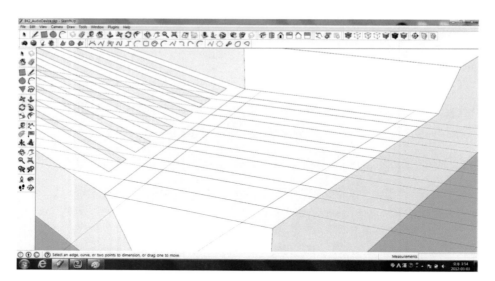

Figure 4.27 Guide lines for right speaker on backside

Step 19) 같은 방법으로 Music device의 뒤쪽 오른쪽 면 위에도 speaker를 만든다.

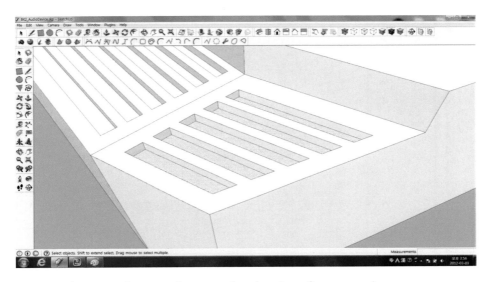

Figure 4.28 Right speaker on backside of music device

Step 20) Music device의 오른쪽 옆면에 세 개의 홈을 만들기 위해서 Tape Measure Tool 선택 〉 위로부터 2 크기만큼 간격을 두고 0.1 두께만큼 크기로 가상선들을 그린다 〉 좌우로 1 크기의 가상선 두 개를 더 그린다 〉 Line Tool 선택 〉 홈이 생기도록 사각형들을 세 개 그린다 〉 Push/Pull Tool 선택 〉 홈에 해당하는 사각형들을 0.1 크기만큼 안으로 이동시켜 홈을 만든다.

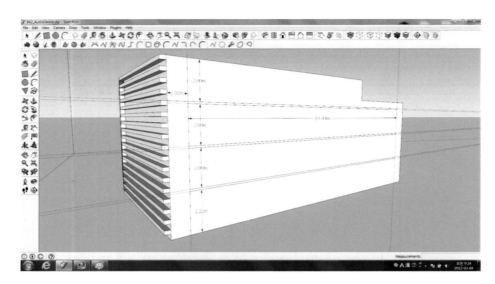

Figure 4.29 Guide lines for three grooves on rightside

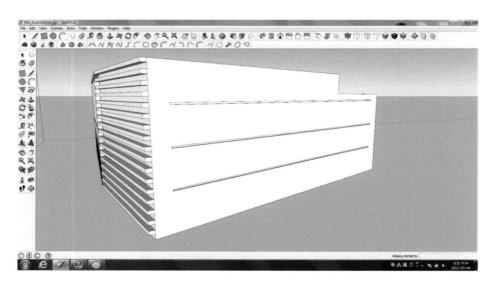

Figure 4.30 Three grooves on rightside of music device

Step 21) 같은 방법으로, Music device의 왼쪽 옆면에 세 개의 홈을 만든다.

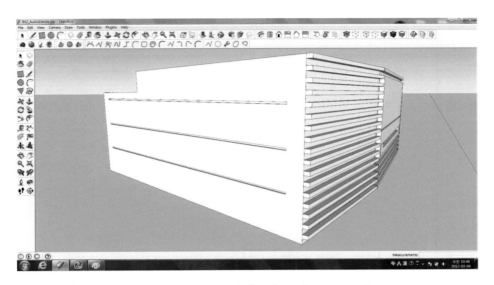

Figure 4.31 Three grooves on leftside of music device

Step 22) Music device의 뒷면에 speaker를 만들기 위해서 Tape Measure Tool 선택 〉 위로부터 0.5 크기만큼 간격을 두고 가로 0.5와 세로 2 크기의 홈이 20개 만들어지도록 가상선들을 그린다 〉 Line Tool 선택 〉 홈이 생기도록 사각형들을 그린다 〉 Push/Pull Tool 선택 〉 홈에 해당하는 사각형들을 0.3 크기만큼 안으로 이동시켜 홈을 만든다.

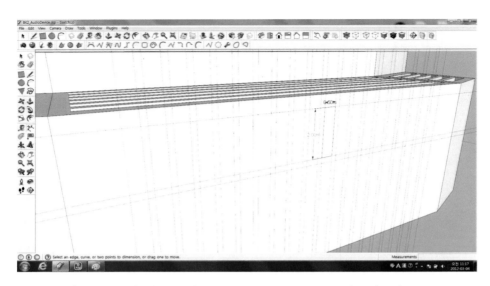

Figure 4.32 Guide lines for grooves on upper backside

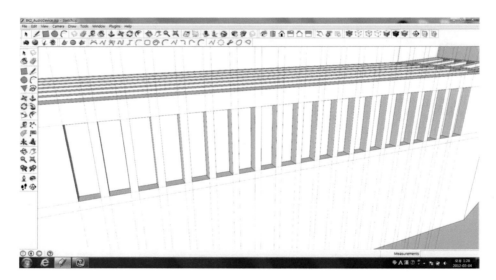

Figure 4.33 Grooves on upper backside of music device

Step 23) 아래쪽에 speaker를 한 줄 더 만들기 위해서 Tape Measure

Tool과 Line Tool 선택 〉 홈이 생기도록 사각형들을 그린다 〉 Push/Pull Tool 선택 〉 홈에 해당하는 사각형들을 0.3 크기만큼 안으로 이동시킨다.

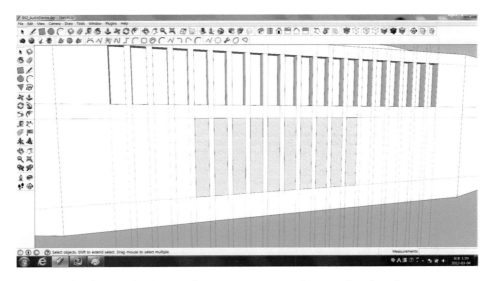

Figure 4.34 Guide lines for grooves on lower backside

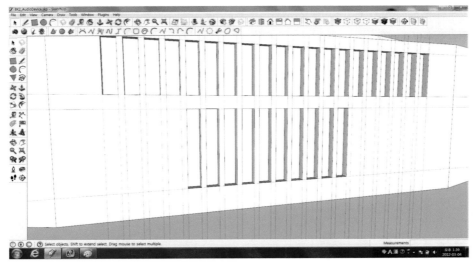

Figure 4.35 Grooves on lower backside of music device

Step 24) Headphone input port를 만들기 위해서 Tape Measure Tool 선택 〉 오른쪽 edge로부터 1만큼 간격을 두고 가상선을 그린다.

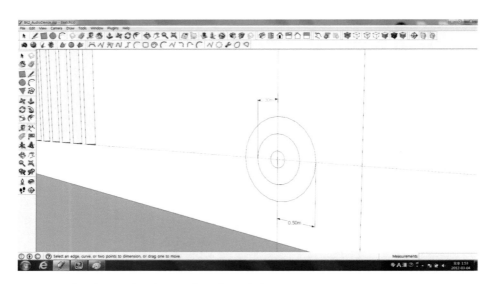

Figure 4.36 Guide lines for headphone input port

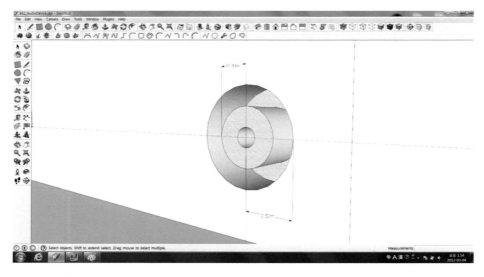

Figure 4.37 Headphone input port

Circle Tool 선택 〉 반지름 0.5, 0.3, 0.1 크기로 세 개의 원을 그린다 〉 Push/Pull Tool 선택 〉 반지름 0.5와 0.1에 해당하는 원을 0.5 크기만큼 안으로 이동시킨다.

Step 25) 같은 방법으로 Aux input port를 만든다.

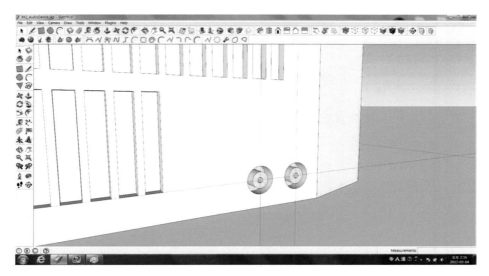

Figure 4.38 Aux input port

Step 26) AC Power port를 만들기 위해서 Tape Measure Tool 선택 〉 왼쪽 edge로부터 2.7 크기만큼 간격을 두고 가상선을 그린다 〉 Circle Tool 선택 〉 반지름 0.7 크기로 한 개의 원을 그린다 〉 왼쪽 edge로부터 1.0 크기만큼 간격을 두고 가상선을 그린다 〉 반지름 0.7의 circle로부터 수평선을 그린다.

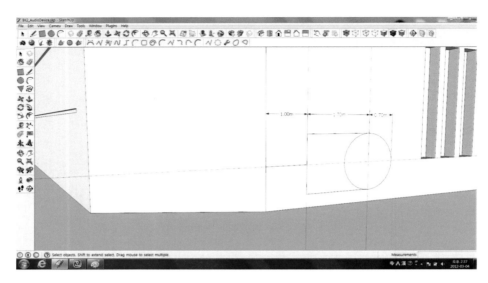

Figure 4.39 Guide lines for AC power port

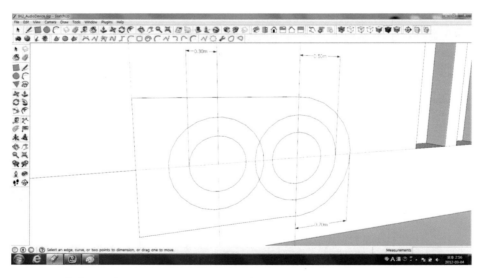

Figure 4.40 Adjusted guide lines for AC power port

Step 27) AC Power port 내부를 만들기 위해서 Circle Tool 선택 〉 반지름 0.5와 0.3 크기로 두 개의 원을 그린다 〉 원의 중심으로부터 0.9 크기만큼 간격을 두고 가상선을 그린다 〉 다시 한 번 더 반지름 0.5와 0.3 크기로 두 개의 원을 그린다 〉 그러면, 반지름 0.5인 두 개의 원들은 약간 겹치게 된다.

Step 28) Eraser Tool 선택 〉 반지름 0.5인 두 개의 원들의 겹치는 부분을 지운다.

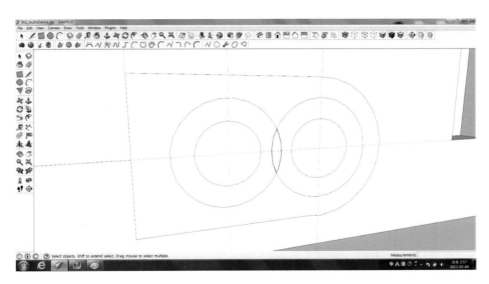

Figure 4.41 Overlapped outlines of radius 0.5 are erased

Step 29) Push/Pull Tool 선택 〉 반지름 0.7에 해당하는 부분은 0.3 크기만큼 안으로 이동한다 〉 반지름 0.5에 해당하는 부분은 0.6 크기만큼 안으로 이동한다.

Step 30) Music device의 아랫면을 만들기 위해서 Offset Tool 선택 〉
아랫면의 경계선에서 1.5 크기만큼 거리를 두고 새로운 경계선을 만든다.

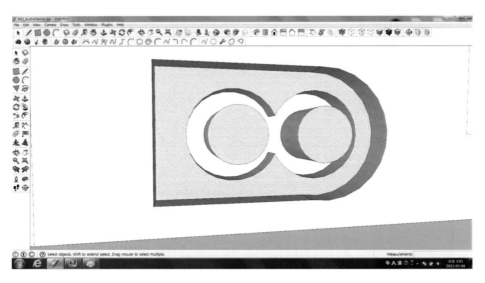

Figure 4.42 AC power port

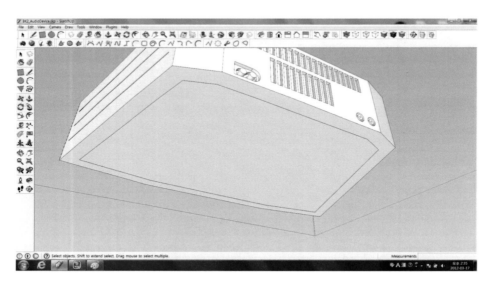

Figure 4.43 Offset line on the bottom side of music device

Step 31) Music device의 아랫면을 만들 때, 앞부분과 좌우부분은 원래 대로 안쪽으로 1.5 크기만큼 안으로 들어오도록 만든다.

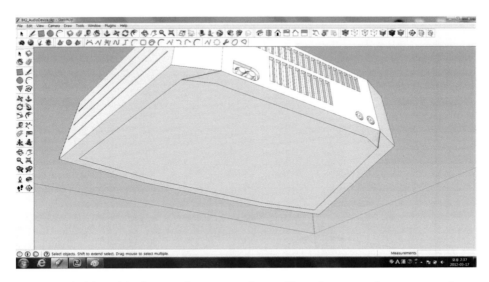

Figure 4.44 Added two lines to the offset line on bottom side

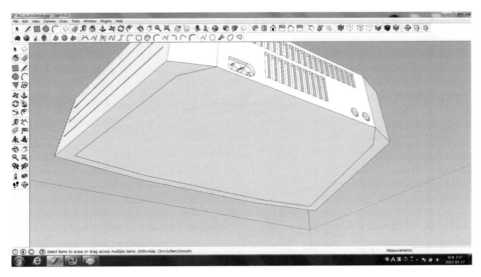

Figure 4.45 Erased three lines on the bottom side

뒷부분은 위로부터 그대로 내려오도록 만들기 위해서 Line Tool 선택 〉 Offset Tool에 의해 새로 만들어진 경계선으로부터 뒷면까지 새로운 두 개의 선을 그린다.

Step 32) Music device의 아랫면을 만들기 위해서 Push/Pull Tool 선택 〉 Control key를 누른 상태에서 아래로 2 크기만큼 이동시킨다 〉 그러면, 앞부분과 좌우부분은 원래대로 안쪽으로 1.5 크기만큼 안으로 들어오고, 뒷부분은 연결된 형태의 모습이 된다.

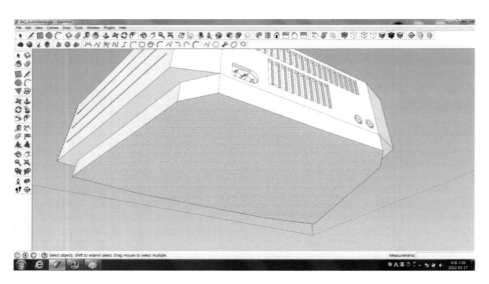

Figure 4.46 Extruded new bottom part of music device

Step 33) Music device의 새로 만들어진 아랫면의 뒷부분에 speaker를 추가하기 위해서 Tape Measure Tool 선택 〉 위로부터 0.5 크기만큼 거리를 두고 가상선을 그린다 〉 위에 있는 speaker와 일치하도록 가상선들을 추가한다 〉 Line Tool 선택 〉 Speaker 영역에 해당하는 선분들을 그린다

〉 Push/Pull Tool 선택 〉 Speaker 내부에 해당하는 면들을 선택하고 위에 있는 speaker와 일치하도록 안으로 이동시킨다.

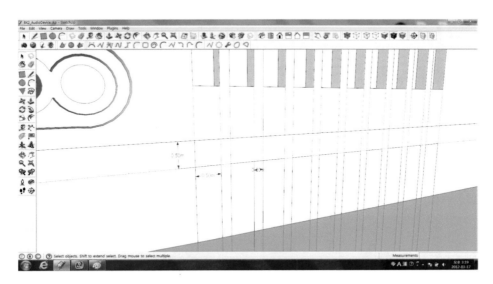

Figure 4.47 Guide lines for new speaker on backside

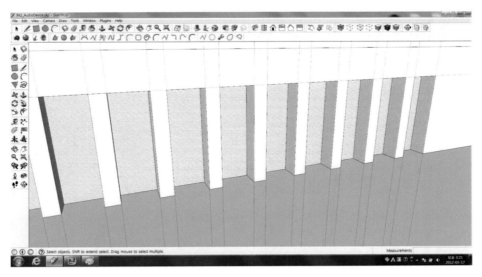

Figure 4.48 New speaker on backside of music device

Step 34) Music device에 material을 입히기 위해서 메뉴 Window 〉 Materials 선택한다 〉 왼쪽 Tool Bar에서 PaintBucket Tool을 선택한다.

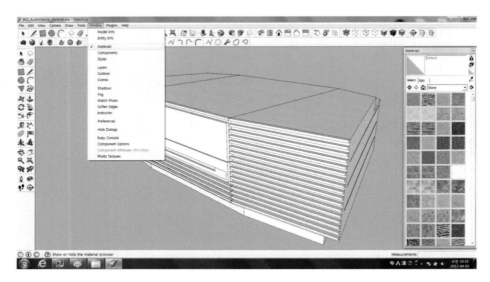

Figure 4.49 Materials window

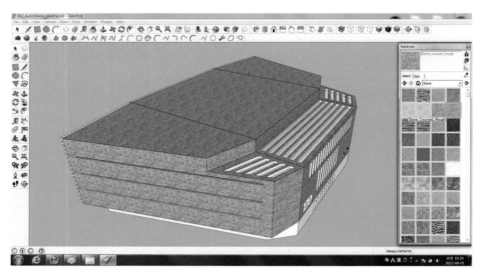

Figure 4.50 Material on body part

Step 35) Materials window에서 Stone_Coursed_Rough material을 선택한다 〉 PaintBucket Tool 선택한다 〉 Music device 몸체에 해당하는 부분을 click하여 material을 입힌다.

Step 36) Materials window에서 Asphalt_Rubber_Red material을 선택한다 〉 PaintBucket Tool 선택한다 〉 Music device 앞면에 있는 좌우 speaker에 해당하는 부분을 click하여 material을 입힌다.

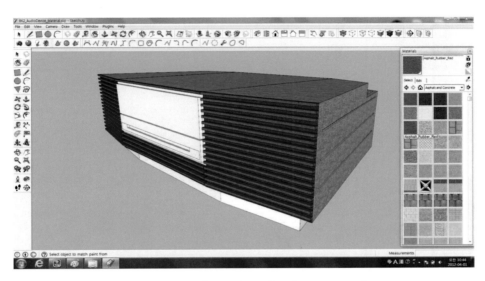

Figure 4.51 Material on left and right front speakers

Step 37) Materials window에서 Asphalt_Rubber_Red material을 선택한다 〉 PaintBucket Tool 선택한다 〉 Music device 앞면에 있는 좌우 speaker에 해당하는 부분을 click하여 material을 입힌다.

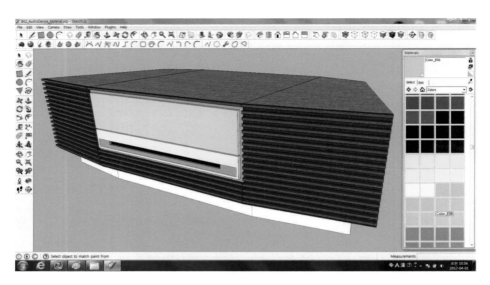

Figure 4.52 Materials on front control panel

Step 38) Materials window에서 Asphalt_New material을 선택한다 〉
PaintBucket Tool 선택한다 〉 Music device 윗면 뒷부분에 있는
speaker에 해당하는 부분을 click하여 material을 입힌다.

Step 39) Music device 뒷면에 있는 speaker와 input/output port에
해당하는 부분들에 material을 입히고, 아랫면 전체와 뒤에 있는 speaker
에 해당하는 부분들에도 material을 입힌다.

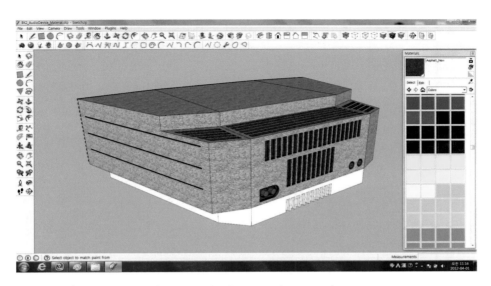

Figure 4.53 Materials on speaker and input/output port

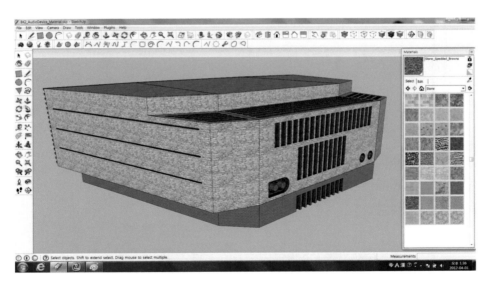

Figure 4.54 Materials on bottom part of music device

2. Model House Design

집안 내부를 디자인 하는 model house design에 대해 알아본다. 집안 내부를 디자인하기 위해서는 영역을 나눈 뒤에 벽을 만들어 올리고, 가구 등을 넣어 집안을 채운다. 집안은 크게 main room 한 개, living room 한 개, bed room 세 개, kitchen 한 개, bath room 두 개로 구성되고, 가구 등은 Google warehouse에서 제공하는 것들을 사용하기로 한다.

Step 1) 집안을 구성하는 벽을 design 하기 위해서 Top view를 선택한다.

Step 2) Rectangle Tool 선택 〉 가로 16m와 세로 15m 크기의 사각형을 그린다 〉 Tape Measure Tool과 Line Tool을 사용하여 원하는 대로 영역을 나눈다.

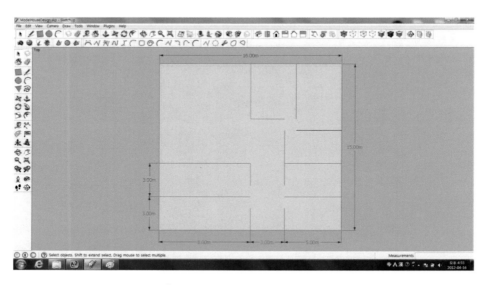

Figure 5.1 Division of area

Step 3) 각 영역마다 설명을 붙이기 위해서 3D Text Tool 선택 〉 Place 3D Text window 나타난다 〉 각 영역에 해당하는 이름을 쓴다 〉 해당 영역에 위치시킨다 〉 Scale Tool 선택 〉 3배 확대한다 〉 Paint Bucket Tool 선택 〉 짙은 material을 입힌다.

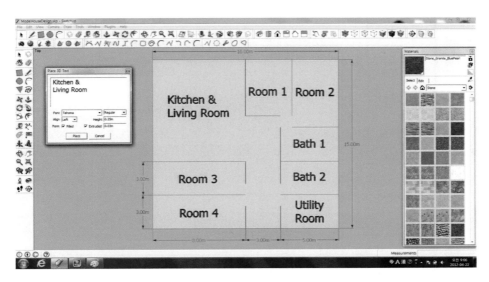

Figure 5.2 labeling of each area

Step 4) Room 1과 2 영역에 벽을 만들기 위해서 Tape Measure Tool 선택 〉 영역 안쪽 방향으로 0.15 크기만큼 거리를 두고 가상선을 그린다 〉 Line Tool 선택 〉 Line을 그려 벽을 만든다. 참고로, 위쪽 벽에는 유리창 을 만들 계획이다.

Step 5) 위와 같은 방법으로, Tape Measure Tool 선택 〉 영역 안쪽 방 향으로 0.15 크기만큼 거리를 두고 가상선을 그리고, Line을 그려 Room 3과 4에도 벽을 만든다.

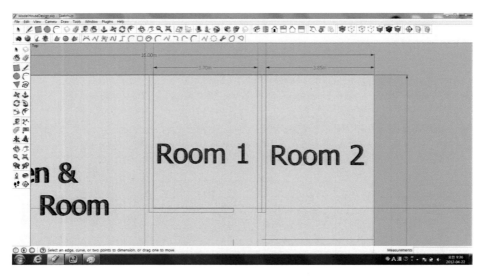

Figure 5.3 Walls in Room 1 and Room 2

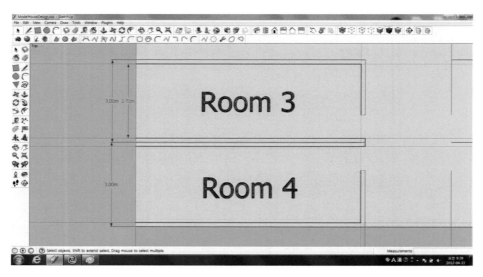

Figure 5.4 Walls in Room 3 and Room 4

Step 6) 같은 방법으로 Bath 1, Bath 2, Utility Room과 Kitchen &
Living Room에도 벽을 만든다.

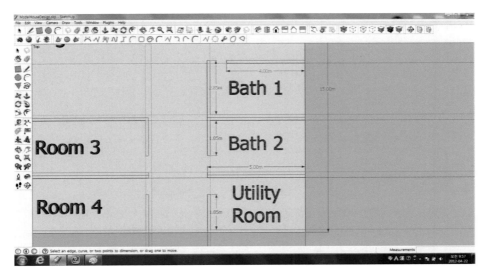

Figure 5.5 Walls in Bath 1, Bath 2, and Utility Room

Figure 5.6 Walls in Kitchen & Living Room

Step 7) 필요 없는 선들과 가상선들을 지운다.

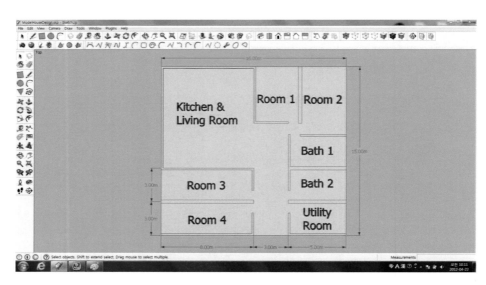

Figure 5.7 Wall structure from top view

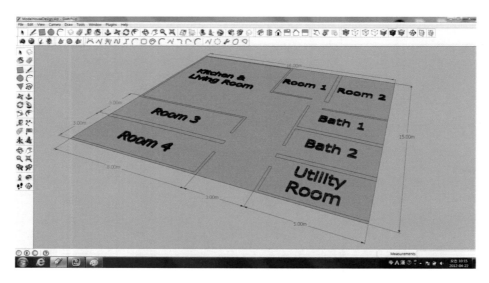

Figure 5.8 Wall structure from perspective view

Step 8) 벽을 위로 올리기 위해서 Push/Pull Tool 선택 〉 위로 3 크기 만큼 올린다.

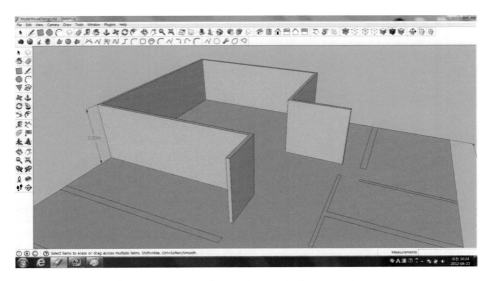

Figure 5.9 Wall structure of Kitchen & Living Room

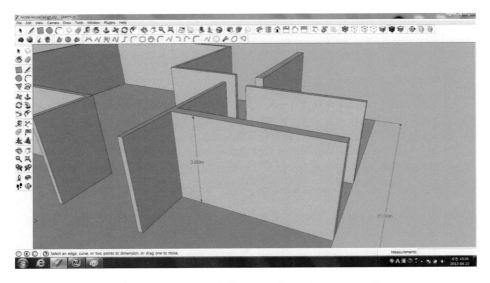

Figure 5.10 Wall structure of Room 1 and Room 2

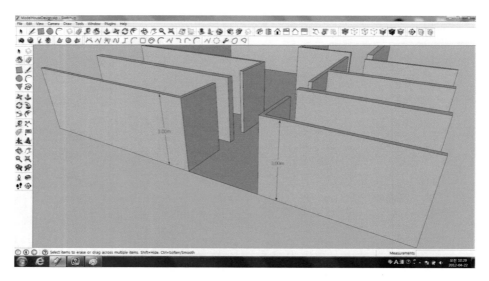

Figure 5.11 Wall of Room 3&4, Bath 1&2, and Utility Room

Step 9) 바닥에 wood material을 입히기 위해서 메뉴 Window 〉 Materials 선택한다 〉 Materials window 나타난다 〉 submenu에서 Wood 선택 〉 Wood_Floor_Dark 선택한다 〉 자동으로 Paint Bucket Tool 선택된다 〉 바닥을 click한다.

Step 10) 집안 내부 벽에 material을 입히기 위해서 Materials window 의 submenu에서 Asphalt and Concrete 선택 〉 Concrete_Rough_ Multi 선택한다 〉 Kitchen & Living Room을 구성하는 벽과 연결된 벽들 을 click한다.

Step 11) 방바닥에 material을 입히기 위해서 Materials window의 submenu에서 Asphalt and Concrete 선택 〉 Concrete_Warm 선택한다

〉Kitchen & Living Room을 제외한 나머지 방들의 바닥을 click한다.

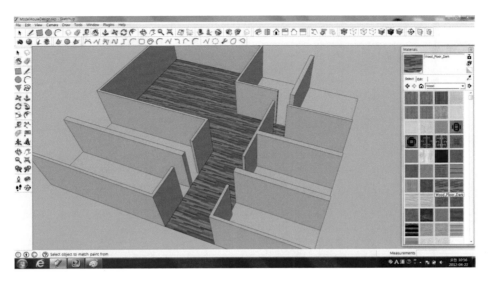

Figure 5.12 Material on floor

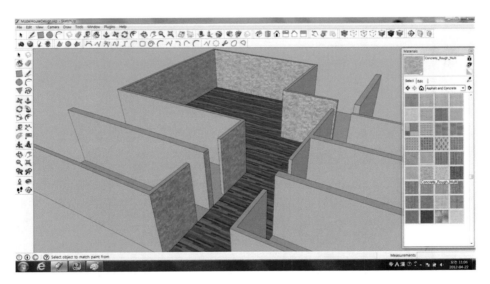

Figure 5.13 Material on wall

Step 12) 화장실 바닥에 material을 입히기 위해서 Materials window 에서 Tile 선택 〉 Tile_Checker_BW 선택 〉 화장실 바닥을 click한다.

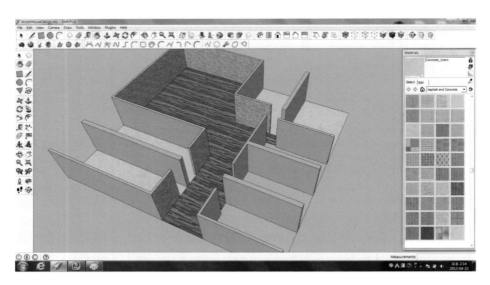

Figure 5.14 Material on room floors

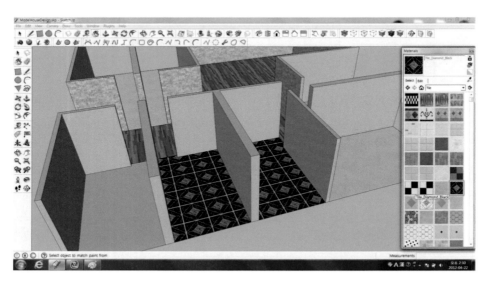

Figure 5.15 Material on bath floors

104 메타버스 제작기법

Step 13) 다용도실 바닥에 material을 입히기 위해서 Materials window의 submenu에서 Tile 선택 〉 Tile_Escher 선택한다 〉 다용도실 바닥을 click한다.

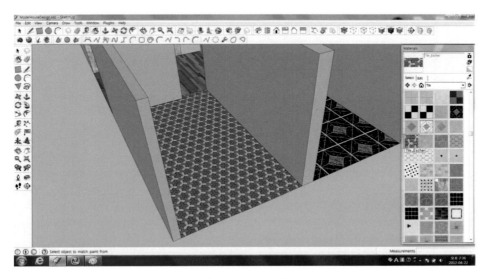

Figure 5.16 Material on utility room floor

Step 14) 침실 벽에 material을 입히기 위해서 Materials window의 submenu에서 Carpet and Textiles 선택 〉 Carpet_Saxony_Multi 선택한다 〉 침실 벽들을 click한다.

Step 15) 화장실과 다용도실 벽에 material을 입히기 위해서 Materials window의 submenu에서 Carpet and Textiles 선택 〉 Carpet_Berber_Pattern_Gray 선택한다 〉 화장실과 다용도실 벽들을 click한다.

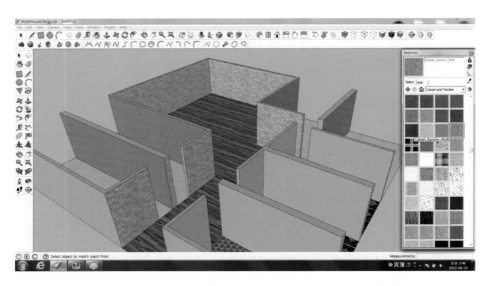

Figure 5.17 Material on walls in Room 1, 2, 3, and 4

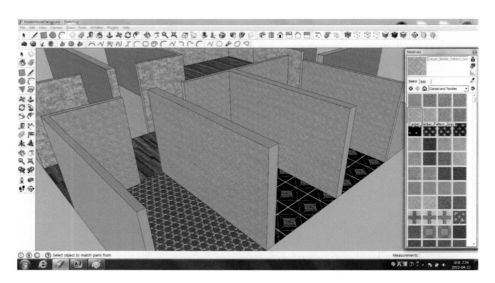

Figure 5.18 Material on walls in Bath1, Bath2, and Utility Room

Step 16) Google SketchUp Warehouse에서 제공하는 door를 사용하기 위해서 메뉴 icon 중에서 Get Models icon을 click한다.

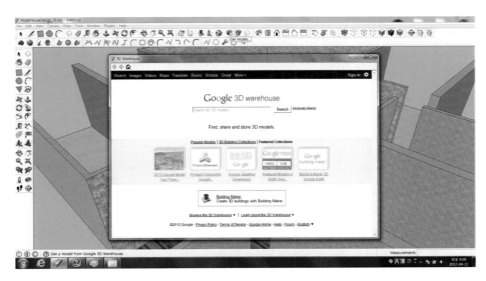

Figure 5.19 Google 3D Warehouse

Figure 5.20 Load Into Model? window

Step 17) "doors"로 search 한다 〉 원하는 model을 찾으면 click 한다 〉 Download Model button을 click 한다 〉 그러면, Load Into Model window가 나타난다.

Step 18) Load Into Model window에서 No button을 click한다 〉 원하는 위치에 저장한다 〉 메뉴 Window 〉 Components 선택한다.

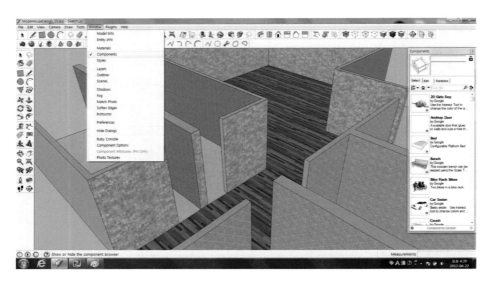

Figure 5.21 Components window

Step 19) Components window 중간 오른쪽에 있는 Details icon (= 돋보기 icon 오른쪽에 있음) click 한다 〉 Open or Create a local collection 선택한다 〉 아까 3D Warehouse에서 down 받은 model이 저장된 folder를 선택한다 〉 그러면, model이 나타난다.

Step 20) Components window에서 door model을 선택한다 〉 현재 만들고 있는 model house 안에 추가한다.

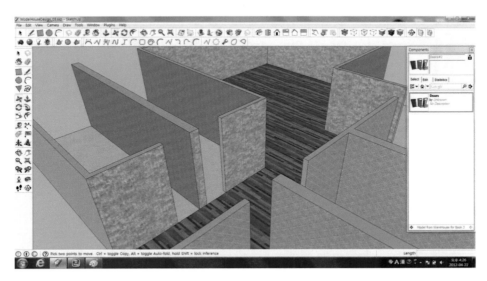

Figure 5.22 Model from 3D Warehouse

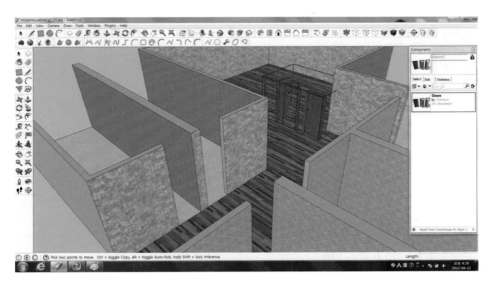

Figure 5.23 Door model in model house design

Step 21) 필요 없는 부분들을 제거하기 위해서 Door model을 선택한다
〉 Right Mouse Button click 〉 Edit Component 선택한다.

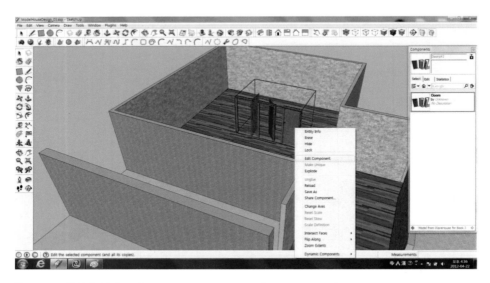

Figure 5.24 Edit Component on submenu

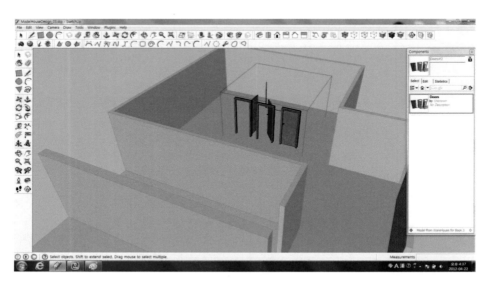

Figure 5.25 Component Edit mode

Component Edit mode 〉 필요 없는 부분들을 제거한다 〉 Component 영역 밖에서 Right Mouse Button click 〉 Close Component 선택한다.

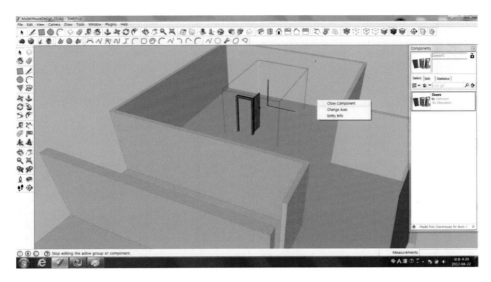

Figure 5.26 Close Component submenu

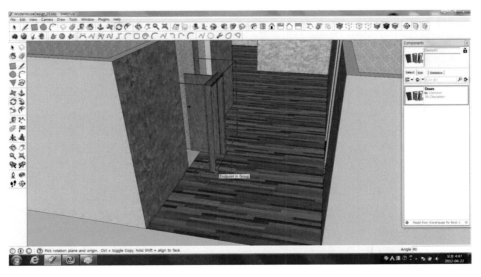

Figure 5.27 Rotate door model in counterclockwise direction

Step 22) Door model을 회전하기 위해서 Rotate Tool 선택한다 〉 시계 반대 방향으로 90도 회전시킨다.

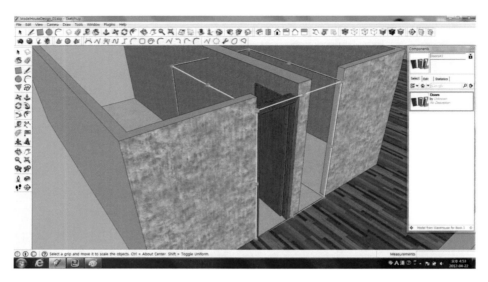

Figure 5.28 Scale Tool to make door model fit in

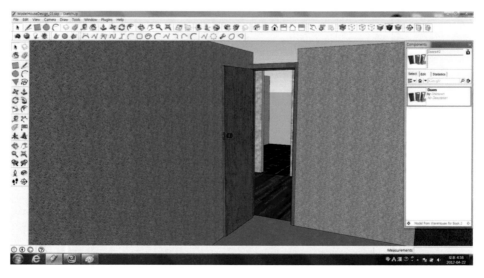

Figure 5.29 Door model

Step 23) Door model을 문틀에 맞도록 하기 위해서 Scale Tool 선택한다 〉 위로 1.2배 확대한다 〉 Move Tool 선택 〉 문틀에 맞도록 위치를 조정한다.

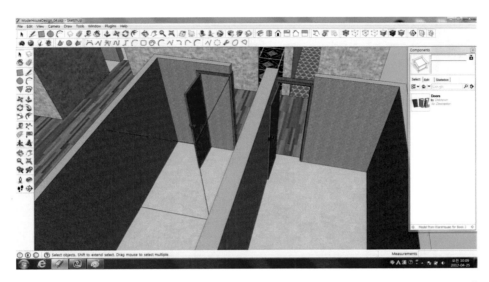

Figure 5.30 Move Tool to make copy of door model in Room 4

Step 24) Door model을 Room 3의 문틀에 맞도록 하기 위해서 Room 4에 있는 door model 선택한다 〉 Move Tool 선택 〉 Control key 누른 상태에서 이동해서 복사한다 〉 Scale Tool 선택한다 〉 좌우 방향으로 −1배 확대한다 〉 그러면, door model이 대칭 형태로 뒤집어진다 〉 Move Tool 선택 〉 문틀에 맞도록 위치를 조정한다.

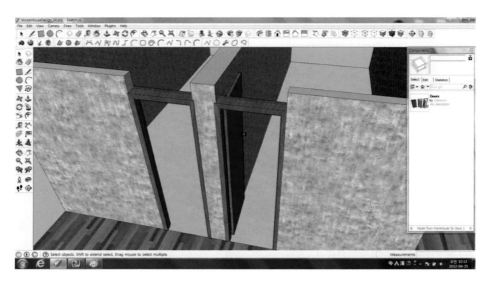

Figure 5.31 Door model in Room 3

Step 25) Door model을 Room 1의 문틀에 맞도록 하기 위해서 Room 4에 있는 door model 선택한다 > Move Tool 선택 > Control key 누른 상태에서 이동해서 복사한다 > Rotate Tool 선택한다 > 반시계 방향으로 90도 회전한다 > 문틀에 맞도록 위치를 조정한다.

Step 26) Room 2에도 넣기 위해서 door model 선택 > Move Tool 선택 > Control key 누른 상태에서 이동해서 복사 > 반시계 방향으로 90도 회전한다 > 문틀에 맞도록 위치를 조정한다 > 같은 방법으로 door model 선택 > Bath 1에 넣는다.

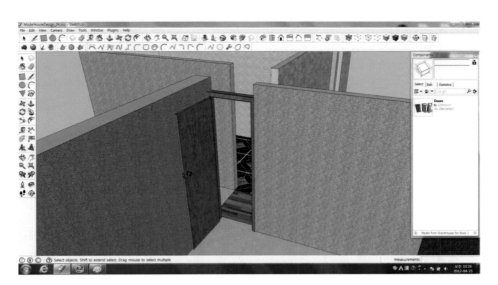

Figure 5.32 Door model in Room 1

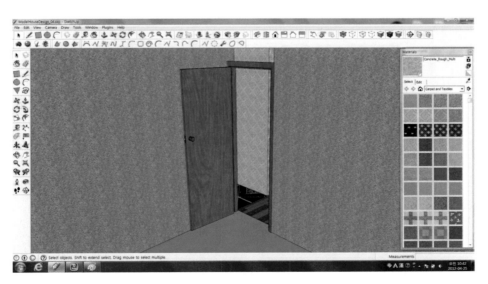

Figure 5.33 Door model in Room 2

Step 27) 같은 방법으로 door model을 Bath 2와 Utility Room에 넣는다.

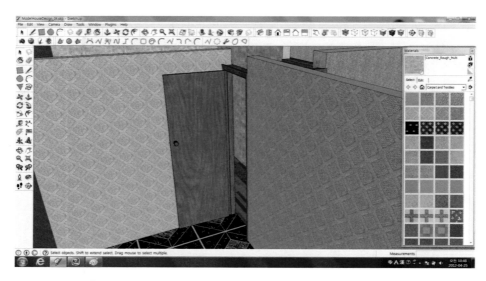

Figure 5.34 Door model in Bath 1

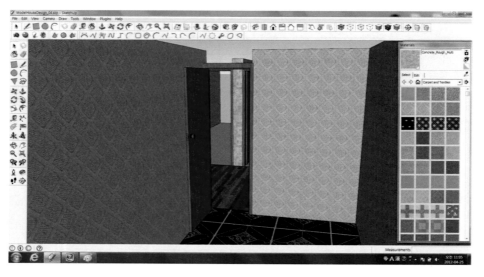

Figure 5.35 Door model in Bath 2

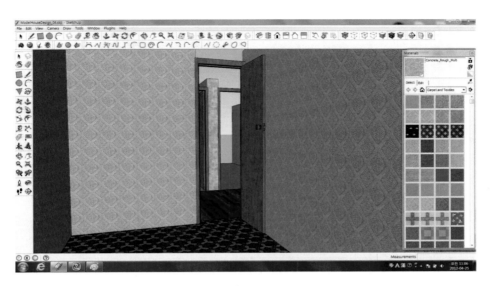

Figure 5.36 Door model in Utility Room

Step 28) 지금까지 만든 model house design를 위에서 본 모습이다.

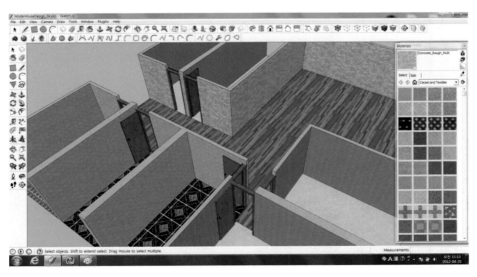

Figure 5.37 Model house design from front right view

Step 29) Google Warehouse에서 원하는 bed model들을 가져다가 각 방에 넣는다.

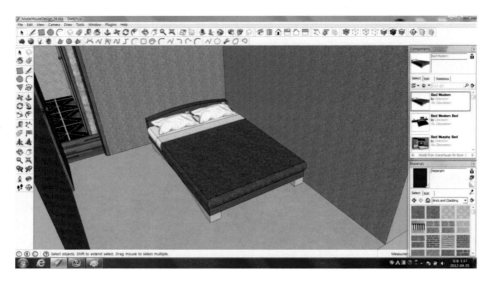

Figure 5.38 Bed in Room 1

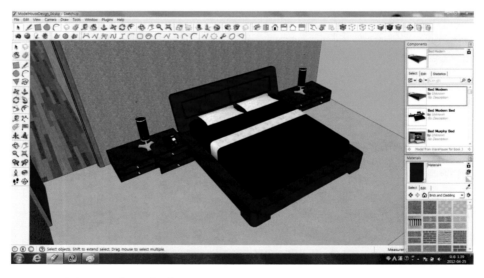

Figure 5.39 Bed with furniture in Room 2

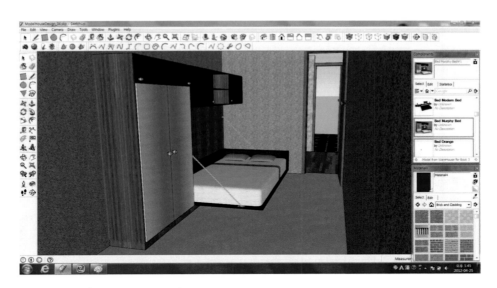

Figure 5.40 Bed with furniture in Room 3

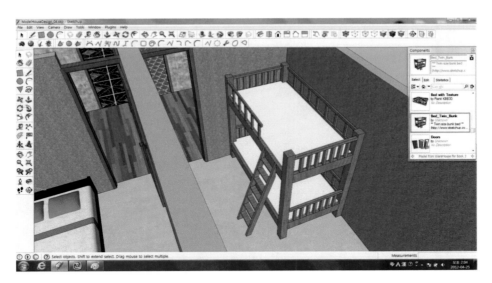

Figure 5.41 Twin bunk bed for children in Room 4

Step 30) Kitchen & Living Room의 바깥벽을 제거하기 위해서 Line

Tool 선택 〉 두 벽에 선을 그린다 〉 Push Pull Tool 선택 〉 제거하고자 하는 벽을 선택 〉 아래로 내린다.

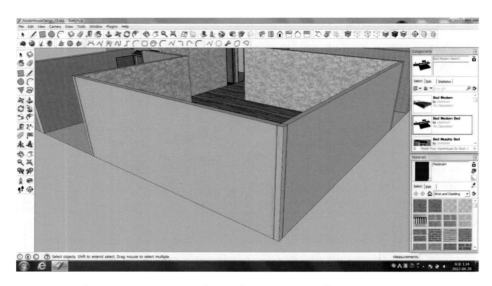

Figure 5.42 Line Tool to draw lines on walls

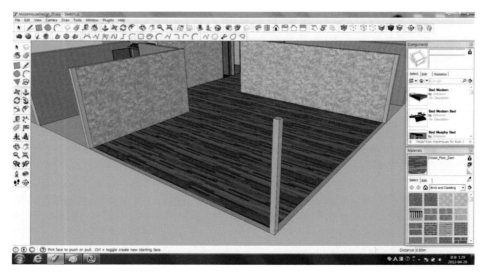

Figure 5.43 Push/Pull Tool to pull down walls

Step 31) Google Warehouse에서 원하는 sofa model과 가구 model 을 가져다가 Living Room에 넣는다.

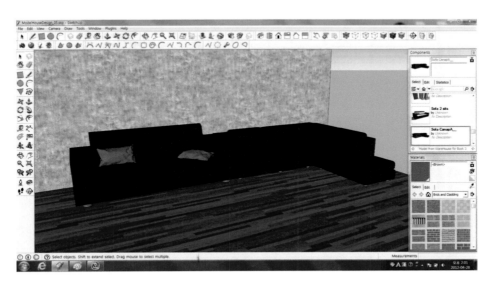

Figure 5.44 Sofa in Living Room

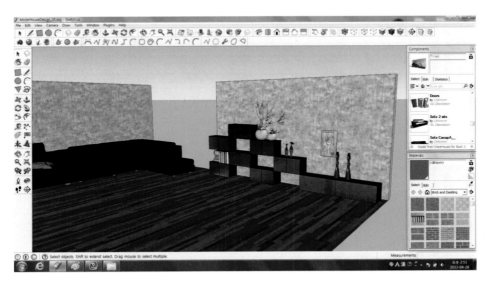

Figure 5.45 Furniture in Living Room

Step 32) Google Warehouse에서 원하는 kitchen set model과 refrigerator model을 가져다가 Kitchen에 넣는다.

Figure 5.46 Kitchen set and refrigerator in Kitchen

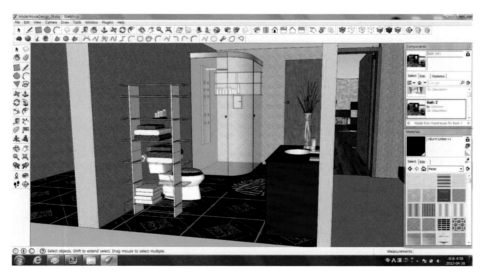

Figure 5.47 Bath tube in Bath 1 from right view

Step 33) Google Warehouse에서 원하는 bath tube model을 가져다
가 Bath 1에 넣는다.

Figure 5.48 Bath tube in Bath 1 from left view

Figure 5.49 Bath tube in Bath 2 from right view

Step 34) Google Warehouse에서 원하는 bath tube model을 가져다가 Bath 2에 넣는다.

Figure 5.50 Bath tube in Bath 2 from left view

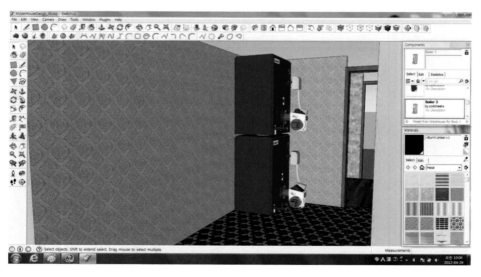

Figure 5.51 Boiler in Utility Room

Step 35) Google Warehouse에서 원하는 boiler, water container, dryer, laundry machine model들을 가져다가 Utility Room에 넣는다.

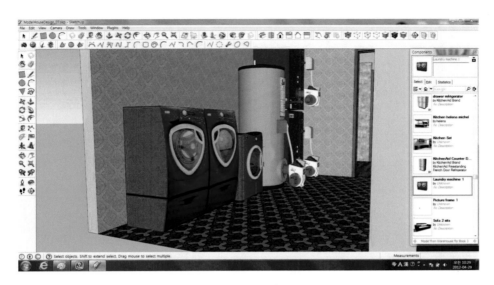

Figure 5.52 Laundry machine in Utility Room

Figure 5.53 Wardrobe in Room 1

Step 36) Google Warehouse에서 원하는 wardrobe model들을 가져다가 Room 1과 Room 2에 넣는다.

Figure 5.54 Wardrobe in Room 2

Figure 5.55 Desk and chair in Room 3

Step 37) Google Warehouse에서 원하는 책상들과 의자들, TV set을 가져다가 Room 3과 Room 4, Living Room에 넣는다.

Figure 5.56 Desk and chair in Room 4

Figure 5.57 TV set in Living Room

Step 38) Materials window에서 Brick and Cladding 〉 Brick_ Antique material 선택 〉 건물 외벽에 새로운 material을 입힌다.

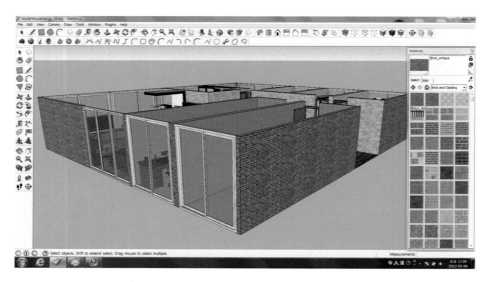

Figure 5.58 Brick material on outside wall

Figure 5.59 Main entrance door

Step 39) Main door model을 대문 위치에 넣고, swimming pool model과 vehicle model들을 가져다가 집 주변에 설치한다.

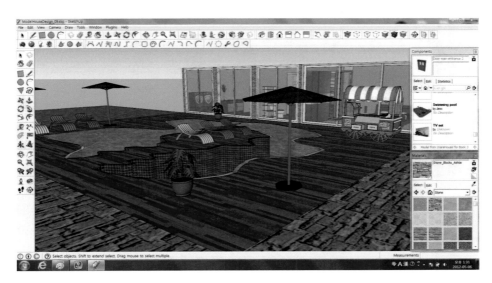

Figure 5.60 Swimming pool from right view

Figure 5.61 GMC Truck with toy hauler

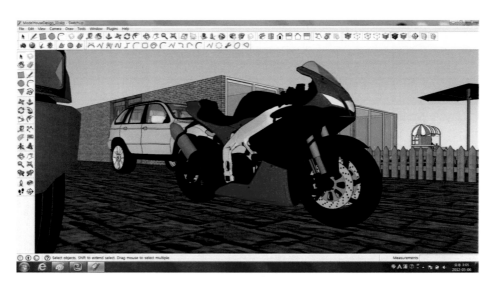

Figure 5.62 Motorcycle